I0654545

HARRAP'S
GRAMMAIRE
ESPAGNOLE

HARRAP

Édition publiée en France 2004
par Chambers Harrap Publishers Ltd
7 Hopetoun Crescent, Edinburgh EH7 4AY
Grande-Bretagne

© Chambers Harrap Publishers Ltd 2004
Reimprimé 2005
Édition précédente publiée en 1997

ISBN 0245 50543 1

Dépôt légal : décembre 2003

Maquette et photocomposition : Chambers Harrap Publishers Ltd,
Edinburgh

Impression et reliure : G. Canale & C., Italy

Rédactrice
Laurence Larroche

Coordination éditoriale
Nadia Cornuau

Direction éditoriale
Patrick White

Prépresse
Vienna Leigh
Kirsteen Wright

Marques déposées

Les termes considérés comme des marques déposées sont signalés dans cet ouvrage par le symbole ®. Cependant, la présence ou l'absence de ce symbole ne constituent nullement une indication quant à la valeur juridique de ces termes.

Préface

Cette grammaire espagnole a été conçue pour répondre aux besoins de ceux qui pratiquent et étudient l'espagnol. Du débutant à l'utilisateur plus avancé, elle permet d'acquérir et/ou de réviser les mécanismes de la langue espagnole.

Les règles essentielles sont clairement expliquées et illustrées de très nombreux exemples de la vie quotidienne. Un glossaire de termes grammaticaux de la page 11 à la page 19 permet de se repérer et de mieux comprendre les termes employés tout au long du livre.

Cette grammaire de poche, très vivante et représentative de l'espagnol d'aujourd'hui, est l'outil de référence idéal pour ceux qui recherchent un ouvrage pratique et accessible.

Les éditions Harrap tiennent à remercier Lexus qui a rédigé l'édition précédente de cet ouvrage.

TABLE DES MATIÈRES

GLOSSAIRE DES TERMES GRAMMATICAUX

ABSTRAIT
Un nom abstrait est un nom qui ne désigne pas un objet physique concret ou une personne, mais une qualité ou un concept. *Bonheur, vie, longueur* sont des exemples de noms abstraits. Autres exemples en espagnol : honradez, tristeza, amor, etc.

ACCENTUÉE (FORME)
Les formes accentuées des adjectifs possessifs sont celles qui se placent après le nom (mío, tuyo, suyo, etc.), par opposition aux formes atones. Voir ATONE (FORME).

ACCORD
En espagnol, les adjectifs, les articles et les pronoms s'accordent en genre et en nombre avec le nom ou le pronom auquel ils se rapportent. Ceci signifie que leur terminaison change suivant le genre du nom (masculin ou féminin) et son nombre (singulier ou pluriel).

ACTIF
La voix active d'un verbe correspond aux phrases dont le sujet est considéré comme agissant, par exemple *mon père lave la voiture.* On l'oppose normalement à la voix passive du verbe, qui correspond à *la voiture est lavée par mon père.* Voir PASSIF.

ADJECTIF
Mot adjoint au nom pour le décrire ou le déterminer. Parmi les adjectifs on distingue les adjectifs qualificatifs (*une petite maison* ; un hombre simpático), les adjectifs démonstratifs (*cette maison* ; este hombre), les adjectifs possessifs (*ma maison* ; mi hermano), etc.

ADVERBE
Les adverbes accompagnent le plus souvent un verbe pour ajouter une information supplémentaire en indiquant comment, quand, où et avec quelle intensité l'action est accomplie (adverbes

de manière, de temps, de lieu et d'intensité). Certains adverbes peuvent s'employer avec un adjectif ou un autre adverbe (par exemple *une fille très mignonne, il est trop bien* ; es muy alto, andas demasiado lentamente).

ANTÉCÉDENT	Mot représenté par un pronom. Par exemple, dans la casa que ves allá, casa est l'antécédent du pronom relatif que.
APOCOPE	Chute d'une ou plusieurs lettres à la fin d'un mot. Par exemple, en français, *jusque* s'apocope en *jusqu'* devant un mot commençant par une voyelle ; en espagnol, alguno et ninguno s'apocopent en algún et ningún devant un nom masculin singulier.
APPOSITION	On dit qu'un mot ou une proposition est en apposition par rapport à un autre mot ou à une autre proposition lorsque l'un ou l'autre est placé directement après le nom ou la proposition, sans y être relié par aucun mot (par exemple *M. Duclos, notre directeur, a téléphoné ce matin* ; el siglo XX, época de grandes conflictos).
ARTICLE DÉFINI	Les articles définis sont *le, la, les* en français, et el, la, los, las en espagnol.
ARTICLE INDÉFINI	Les articles indéfinis sont *un, une, des* en français et un, una, unos, unas en espagnol.
ATONE (FORME)	Les formes atones des adjectifs possessifs sont celles qui se placent avant le nom (mi, tu, su, etc.), par opposition aux formes accentuées. Voir ACCENTUÉE (FORME).
ATTRIBUT	Nom ou, le plus souvent, adjectif relié au sujet ou au complément d'objet par le verbe *être* ou un autre verbe d'état. Par exemple, en français : *je suis fatigué* ; en espagnol : pareces cansado.
AUGMENTATIF	On ajoute un augmentatif à un nom (parfois à un adjectif) pour indiquer la grandeur ou le côté maladroit et laid. Par exemple un hombrón, una mujerona.

AUXILIAIRE	Les auxiliaires sont des verbes qui servent à former les temps composés d'autres verbes. En français, *avoir* et *être* sont des auxiliaires. Les principaux auxiliaires espagnols sont haber, estar et ser.
CARDINAL	Aux nombres cardinaux comme *un, deux, quatorze* ; tres, quince, cien, on oppose les nombres ordinaux (*premier, deuxième* ; primero, segundo). Voir ORDINAL.
COMPARATIF	Le comparatif des adjectifs et des adverbes permet d'établir une comparaison entre deux personnes, deux choses ou deux actions. En français, on emploie *plus... que* (comparatif de supériorité), *moins... que* (comparatif d'infériorité) et *aussi/autant... que* (comparatif d'égalité). Les équivalents espagnols sont más... que, menos... que et tan/tanto... como.
COMPLÉMENT D'OBJET DIRECT	Groupe nominal ou pronom qui accompagne un verbe (dit "verbe transitif direct"), sans préposition entre les deux, par exemple *j'ai rencontré un ami* ; comimos pollo. En espagnol, malgré la présence de la préposition a entre le verbe transitif direct et le complément de personne, celui-ci est toujours considéré comme un complément d'objet direct (par exemple vimos al novio de Elena).
COMPLÉMENT D'OBJET INDIRECT	Groupe nominal ou pronom qui accompagne un verbe (dit "verbe transitif indirect"), séparé de ce dernier par une préposition, hablo con mi amigo, *je parle à mon ami*. Vous noterez qu'en français on omet souvent la préposition devant un pronom. Par exemple, dans *je lui ai envoyé un cadeau, lui* est l'équivalent de *à lui* : c'est le complément d'objet indirect. De même, dans la phrase espagnole le di una bofetada, le est le complément d'objet indirect. Attention : ne confondez pas la préposition a qui introduit le complément d'objet indirect et celle qui précède obligatoirement le complément direct de personne : comparez he escrito a mi

prima (*escribir a* = *écrire à*, verbe transitif indirect) et *he visto a mi prima* (*ver ø* = *voir ø*, verbe transitif direct).

CONJONCTION Les conjonctions sont des mots qui relient deux mots ou deux propositions (*et, ou, mais*). On distingue les conjonctions de coordination, comme *y, o, pero* ; et les conjonctions de subordination comme *que, si, aunque.*

DÉMONSTRATIF Les adjectifs démonstratifs (*ce, cette, ces* ; *este, ese, aquella,* etc.) et les pronoms démonstratifs (*celui-ci, celui-là* ; *éste, ése, aquélla,* etc.) s'emploient pour désigner une personne ou un objet bien précis. En espagnol, les pronoms démonstratifs prennent un accent écrit qui les distingue de la forme équivalente de l'adjectif démonstratif.

DIMINUTIF On ajoute un diminutif à un nom (parfois à un adjectif) pour indiquer qu'une chose ou une personne est petite ou pour exprimer à son égard une attitude favorable du locuteur. Par exemple *un pajarito, una mujercita.*

DIPHTONGUE Voyelle dont la prononciation change en cours d'émission, à l'intérieur de la même syllabe.

ÉPITHÈTE Adjectif ou nom qui n'est pas relié au nom par un verbe, par opposition à l'attribut. Par exemple, en français : *un petit paquet* ; en espagnol : *una flor roja.*

EXCLAMATION Mot ou phrase employés pour exprimer la surprise, la joie, le mécontentement, etc. (*quoi !, comment !, quelle chance !, ah non !*). En espagnol, les points d'exclamation sont à l'envers en tête du membre de phrase exclamatif, comme dans *¡caramba!.*

FÉMININ Voir GENRE.

GENRE Le genre d'un nom indique s'il est masculin ou féminin. En espagnol comme en français, le genre d'un nom représentant une personne n'est pas toujours déterminé par le sexe de cette dernière. Par exemple, *la víctima* (*la victime*) est un nom féminin, qu'il s'agisse d'un homme ou d'une femme.

IDIOMATIQUE Se dit d'un emploi ou d'une expression propres à une langue donnée et qui ne peuvent donc pas se traduire mot à mot dans une autre langue. Par exemple, l'expression *il pleut des cordes* se traduit en espagnol par *está lloviendo a cántaros*. L'emploi de *al* + infinitif ou du futur pour exprimer la probabilité sont deux exemples d'emplois idiomatiques espagnols.

INDÉFINI Les pronoms et les adjectifs indéfinis sont des mots qui ne se rapportent pas à des personnes ou des choses précises (par exemple *chaque*, *quelqu'un*, etc.).

INTERROGATIF Les mots interrogatifs sont employés pour formuler une question. Il peut s'agir d'une question directe (*quand arriveras-tu ?*) ou d'une question indirecte (*je ne sais pas quand il arrivera*). Voir QUESTION.

INTRANSITIF Se dit d'un verbe qui n'a pas de complément d'objet et dont l'action se limite au sujet, par opposition à un verbe transitif. Par exemple, *marcher* ou *hablar* sont des verbes intransitifs.

LOCUTION Groupe de mots figé ayant une fonction grammaticale. On trouve par exemple des locutions adjectivales (à valeur d'adjectif) : *une maison au toit de tuiles*, *el hombre del bigote rubio* ; des locutions adverbiales (à valeur d'adverbe) : *tout de suite*, *mientras tanto*, etc.

MASCULIN Voir GENRE.

NEUTRE Se dit des noms dépourvus de genre propre. En espagnol, seuls l'article défini *lo*, le pronom *ello* et les pronoms démonstratifs *esto*, *eso* et *aquello* sont neutres. Les adjectifs qui les accompagnent se mettent au masculin (*aquello es ridículo*).

NOM Mot servant à désigner une chose, un être animé, un lieu ou des idées abstraites. Par exemple *passeport*, *facteur*, *chat*, *magasin*, *vie* ; autres exemples en espagnol : lata, enfermera, gato, colegio, felicidad.

NOM COMPOSÉ	Les noms composés sont des noms formés de deux mots distincts ou plus. En français, *portefeuille*, *chou-fleur* sont des noms composés. Exemples en espagnol : coliflor, fecha límite.
NOMBRE	Le nombre d'un nom indique si celui-ci est singulier ou pluriel. Un nom singulier fait référence à une seule chose ou une seule personne (*train*, *garçon* ; cuerda, hermano) et un nom pluriel à plusieurs (*trains*, *garçons* ; cuerdas, hermanos).
OBJET DIRECT	Voir COMPLÉMENT.
OBJET INDIRECT	Voir COMPLÉMENT.
ORDINAL	Les nombres ordinaux sont *premier*, *deuxième*, *troisième*, *quatrième*, etc. ; primero, segundo, tercero, cuarto, etc. Voir CARDINAL.
PARTITIF	En français, l'article partitif *de* permet de désigner une partie par rapport à un tout qu'on ne peut pas dénombrer. Il n'a pas d'équivalent en espagnol.
PASSIF	Un verbe est à la voix passive lorsque le sujet n'accomplit pas l'action mais la subit. En français, le passif se forme avec le verbe *être* et le participe passé du verbe, par exemple, *il est aimé*. Cette structure est également possible en espagnol (la obra fue publicada en 2003), mais il y a d'autres façons d'exprimer le passif, par exemple par l'emploi de la forme réfléchie (la obra se publicó en 2003). Voir ACTIF.
PLURIEL	Voir NOMBRE.
POSSESSIF	Les adjectifs et les pronoms possessifs s'emploient pour indiquer la possession ou l'appartenance. Ce sont des mots comme *mon/le mien*, *ton/le tien*, *notre/le nôtre*, etc. ; mi/el mío, tu/el tuyo, nuestro/el nuestro, etc.
PRÉPOSITION	Les prépositions introduisent le complément d'un nom, d'un verbe, d'un adjectif ou d'un adverbe.

	Ce sont des mots tels que *avec, dans, vers, à* ou, en espagnol, a, de, sin, sobre. Ils sont normalement suivis d'un nom ou d'un pronom.
PRINCIPALE	Au sein d'une phrase, la proposition principale est celle dont dépendent les autres propositions (dites "subordonnées"). Par exemple, pienso dans pienso que tienes razón. Voir SUBORDONNÉE.
PROGRESSIVE (FORME)	En espagnol, la forme progressive est formée de estar + participe présent, par exemple estoy hablando, está escribiendo. D'autres verbes équivalents peuvent être utilisés à la place de estar (ir, venir, llevar). La forme progressive espagnole correspond à *être en train de* en français.
PRONOM	Mot qui remplace un nom. Les principales catégories de pronoms sont les :

* pronoms relatifs (*qui, que,* etc. ; que, quien, etc.)
* pronoms interrogatifs (*qui ?, quoi ?, lequel ?,* etc. ; ¿quién?, ¿qué?, ¿cuál?, etc.)
* pronoms démonstratifs (*celui-ci, celui-là,* etc. ; éste, ése, aquél, etc.)
* pronoms possessifs (*le mien, le tien, le sien,* etc. ; el mío, el tuyo, el suyo, etc.)
* pronoms personnels (*je, moi, lui,* etc. ; yo, mí, él, etc.)
* pronoms réfléchis (*me, se,* etc. ; me, se, etc.)
* pronoms indéfinis (*quelque chose, quelqu'un, tout,* etc. ; algo, alguien, todo, etc.)

PRONOMINAUX	Les verbes pronominaux sont des verbes accompagnés d'un pronom réfléchi (me, te, se, nous, vous ; me, te, se, nos, os) représentant la même personne ou la même chose que le sujet. On distingue les verbes pronominaux réfléchis (voir RÉFLÉCHI), les verbes pronominaux non réfléchis (*s'envoler* ; caerse) et les verbes pronominaux réciproques (voir RÉCIPROQUE). Les verbes pronominaux espagnols s'emploient aussi pour exprimer le passif (voir PASSIF).
PROPOSITION	Une proposition est un groupe de mots qui contient au moins un sujet et un verbe : *il dit* ou *nos*

paseamos sont des propositions. Une phrase peut être constituée de plusieurs propositions : dijo I que me llamaría I si le daba tiempo. Voir PRINCIPALE et SUBORDONNÉE.

QUESTION

Il existe deux types de questions : les questions au style **direct**, qui sont retranscrites telles qu'elles sont dites (par exemple *quand viendra-t-il ?* ou *¿qué pasa?*) ; les questions au style **indirect**, qui sont introduites par une proposition et ne nécessitent pas de point d'interrogation (par exemple *je me demande quand il viendra* ; no sé si va a funcionar). Les questions au style direct commencent par un point d'interrogation à l'envers en espagnol, comme dans ¿qué haces?.

RADICAL DU VERBE

Le radical du verbe est "l'unité de base" à laquelle on ajoute diverses terminaisons. Pour obtenir le radical d'un verbe espagnol, il suffit d'enlever la terminaison de l'infinitif -ar, -er ou -ir. Ainsi le radical de hablar est habl-, le radical de beber est beb-, et le radical de vivir est viv-.

RÉCIPROQUE

Les verbes réciproques indiquent une action exercée par plusieurs sujets les uns sur les autres, par exemple *se saluer* (*nous nous sommes salués*) ou, en espagnol, escribirse (se escriben regularmente). Ils comportent toujours un pronom réfléchi.

RÉFLÉCHI

Les verbes réfléchis "renvoient" l'action sur le sujet (par exemple *je me suis habillé* ; se están duchando). Ils comportent toujours un pronom réfléchi.

SUBORDONNÉE

Au sein d'une phrase, la subordonnée est une proposition qui dépend de la proposition principale. Sans cette dernière, la proposition subordonnée ne formerait pas une phrase complète du point de vue syntaxique. Par exemple *il dit que ce n'est pas vrai* ; te llamaré cuando haya terminado los deberes. Voir PRINCIPALE.

SUFFIXE

Élément placé après une racine ou un radical pour former un dérivé.

SUPERLATIF	C'est le degré le plus élevé de la comparaison. On distingue d'une part le superlatif relatif qui se construit en français avec *le plus...*, *le moins...* et en espagnol avec *más...*, *menos...*, et d'autre part le superlatif absolu (*très sympathique* ; muy simpático, simpatiquísimo).
TEMPS COMPOSÉ	Les temps composés sont des temps verbaux formés de plus d'un élément. En espagnol, les temps composés d'un verbe se forment avec l'auxiliaire et le participe passé ou le participe présent : han llegado, estoy hablando.
TERMINAISON	La terminaison d'un verbe est déterminée par la personne (1ère, 2ème, 3ème), par le nombre (singulier/pluriel) de son sujet, et par le temps employé.
TRANSITIF	Se dit d'un verbe qui se construit avec un complément d'objet. Les verbes transitifs s'opposent aux verbes intransitifs. Les verbes transitifs directs régissent leur complément (complément d'objet direct) sans intermédiaire ; c'est le cas de *manger* ou dibujar. Les verbes transitifs indirects régissent leur complément (complément d'objet indirect) par l'intermédiaire d'une préposition ; par exemple, *parler à* ou soñar con.
TRIPHTONGUE	Voyelle dont la prononciation change deux fois en cours d'émission, à l'intérieur de la même syllabe.

1 LES ARTICLES

A FORMES

1 L'article défini

a) *La forme habituelle*

L'article défini possède une forme masculine et une forme féminine, au pluriel comme au singulier :

	MASCULIN	FÉMININ
singulier	el	la
pluriel	los	las

el señor
le monsieur

los señores
les messieurs

la chica
la fille

las chicas
les filles

Remarque :

En espagnol, la forme féminine de l'article ne s'élide jamais :

la esperanza
l'espoir

la hija
la fille

b) *Une forme particulière du féminin*

Notez que devant les noms féminins commençant par un a- ou un ha- accentué, on emploie el et non pas la :

el agua
l'eau

el hambre
la faim

el águila
l'aigle

Ce changement ne modifie en rien le genre du nom. Les autres mots qui accompagnent le nom prennent la marque du féminin :

el agua está fría
l'eau est froide

c) *La contraction de l'article défini masculin*

L'article défini masculin se contracte lorsqu'il est employé avec les prépositions a et de et donne les formes suivantes :

a + el = al   de + el = del

fui al cine   la casa del profesor
je suis allé au cinéma   *la maison du professeur*

Ceci ne se produit pas si le el fait partie d'un titre, d'un nom de ville ou d'un nom de personne prenant une majuscule :

escribí a El Diario   voy a El Escorial
j'ai écrit à El Diario   *je vais à l'Escorial*

es un lienzo de El Greco
c'est un tableau du Greco

d) *Les noms de pays qui sont précédés de l'article défini*

Il existe en espagnol un nom de pays qui doit toujours être accompagné de l'article défini :

la India   *l'Inde*

Les pays suivants peuvent être ou non précédés de l'article :

(el) Brasil   *le Brésil*
(el) Canadá   *le Canada*
(los) Estados Unidos   *les États-Unis*
(el) Perú   *le Pérou*

Les autres noms de pays ne prennent pas d'article. Par exemple :

Francia   *la France*
España   *l'Espagne*

Il existe une exception à cette règle : voir D 2.

2 L'article indéfini

a) *La forme habituelle*

L'article indéfini a une forme masculine et une forme féminine. Ces deux formes peuvent aussi se mettre au pluriel :

	MASCULIN	**FÉMININ**
singulier	un	una
pluriel	unos	unas

un hombre
un homme

una cantidad
une quantité

tiene unos ojos preciosos
elle a de très beaux yeux

b) *Une forme particulière du féminin*

Notez que devant les noms féminins commençant par un a- ou un ha- accentué, on emploie un (mais una peut être toléré) :

un hacha
une hache

un ala
une aile

Ce changement ne modifie en rien le genre du nom. Les autres mots qui accompagnent le nom prennent la marque du féminin :

construyeron un ala nueva
ils ont construit une nouvelle aile

B EMPLOI

L'emploi des articles définis et indéfinis est très semblable en espagnol et en français. Mais il existe tout de même quelques différences, notamment en ce qui concerne l'emploi de l'article partitif (qui n'existe pas en espagnol) et de l'article neutre (qui n'existe pas en français).

1 Comme en français, les noms qui désignent la totalité de la chose ou des choses auxquelles ils font référence sont précédés de l'article défini en espagnol :

me gusta la cerveza, pero no me gusta el vino
j'aime la bière, mais je n'aime pas le vin

los españoles beben mucho vino
les Espagnols boivent beaucoup de vin

De même, les noms abstraits sont précédés de l'article défini :

la justicia es necesaria si la democracia va a sobrevivir
la justice est nécessaire pour que la démocratie survive

la inflación está subiendo
l'inflation augmente

2 Les noms de langues sont précédés de l'article défini :

el español es muy interesante, pero no me gusta el francés
l'espagnol est très intéressant, mais je n'aime pas le français

Cependant, on n'emploie aucun article après les prépositions en
et de, et les verbes hablar et estudiar :

el libro está escrito en español   ¿hablas español?
le livre est écrit en espagnol   *est-ce que tu parles espagnol ?*

estudio español
j'étudie l'espagnol

Si l'on fait référence à un exemple particulier de la langue,
plutôt qu'à la langue dans son ensemble, on emploie l'article
indéfini :

Thomas habla un español excelente
Thomas parle un espagnol excellent

3 La règle du paragraphe 2 s'applique aussi aux noms de disci-
plines scolaires :

no me gustan las matemáticas, prefiero la física
je n'aime pas les maths, je préfère la physique

mais on ne met pas d'article dans les cas suivants :

es licenciado en física   he comprado un libro de química
il a une licence de physique   *j'ai acheté un livre de chimie*

estudia matemáticas
elle étudie les mathématiques

4 Les noms de maladies prennent généralement l'article défini, sauf
s'il s'agit d'un cas particulier, auquel cas on n'emploie pas d'article :

¿tiene algo contra la laringitis?
avez-vous quelque chose pour la laryngite ?

mais :

tengo laringitis
j'ai une laryngite

5 Les parties du corps prennent l'article défini, comme en français :

tiene el pelo castaño y los ojos verdes
elle a les cheveux bruns et les yeux verts

levantó la cabeza   su madre le lavó la cara
il a levé la tête   *sa mère lui a lavé le visage*

6 Avec les vêtements, là où en français on emploie un adjectif possessif, on emploie en espagnol l'article défini :

se puso la chaqueta y salió
elle a mis sa veste et elle est sortie

se quitó el sombrero
il a enlevé son chapeau

Notez également que, là où le français utilise un verbe transitif, l'espagnol utilise un verbe réfléchi.

7 Emploi de l'article indéfini aux formes du pluriel (unos, unas) :

a) avec les noms qui n'existent qu'au pluriel ou qui sont normalement employés au pluriel, en particulier les objets qui vont par paire :

compré unos pantalones
j'ai acheté un pantalon

b) pour exprimer l'idée de "quelques" :

tengos unos libros
j'ai quelques livres

c) pour des approximations numériques :

tendrá unos cuarenta años
il doit avoir dans les quarante ans

Remarque :

Attention à l'emploi de unos et unas qui ne sont pas les équivalents directs de l'article indéfini pluriel français "des" (voir C 1 ci-contre).

C CAS DANS LESQUELS ON N'EMPLOIE AUCUN ARTICLE

1 Il n'y a pas d'équivalent espagnol à l'article partitif français. On n'emploie aucun article lorsque l'on exprime des quantités indéfinies de choses concrètes ou abstraites :

se necesita paciencia
il faut de la patience

tengo libros
j'ai des livres

¿tienes mantequilla?
est-ce que tu as du beurre ?

siempre hay excepciones
il y a toujours des exceptions

no quiero vino, siempre bebo cerveza
je ne veux pas de vin, je bois toujours de la bière

buen número de personas no querían aceptar esto
bon nombre de personnes ne voulaient pas accepter ceci

parte/buena parte/gran parte del dinero se invirtió en el proyecto
une partie/une bonne partie/une grande partie de l'argent a été investie dans le projet

tengo cantidad/infinidad de preguntas que hacerte
j'ai plein/une quantité de questions à te poser

2 On omet souvent (mais pas toujours) l'article dans une tournure négative ou une question :

¿tienes coche? – no, no tengo coche
est-ce que tu as une voiture ? – non, je n'ai pas de voiture

Là encore, on ne fait référence à aucune voiture en particulier. Si l'on voulait faire référence à une voiture en particulier, on emploierait l'article indéfini :

¿tienes un coche rojo?
est-ce que tu as une voiture rouge ?

3 Contrairement au français, l'espagnol n'emploie pas d'article dans les compléments de manière formés d'une préposition, d'un adjectif et d'un nom :

actuó con gran generosidad
il a agi avec une grande générosité

4 Il n'y a pas d'article indéfini lorsque le nom est placé après les adjectifs suivants : otro (*autre*), tal, semejante, parecido (qui signifient tous "tel") et cierto (*certain*).

¿me das otro libro, por favor?
tu me donnes un autre livre, s'il te plaît ?

semejante situación nunca se había producido antes
une telle situation ne s'était jamais présentée auparavant

estoy de acuerdo contigo hasta cierto punto
je suis d'accord avec toi jusqu'à un certain point

5 Contrairement au français, il n'y a pas d'article avec le superlatif relatif :

los científicos más famosos del mundo
les savants les plus célèbres du monde

6 On omet l'article avec les noms placés en apposition :

vive en Madrid, capital de España
il vit à Madrid, la capitale de l'Espagne

D LES NOMS DE PERSONNES, DE PAYS, ETC.

La plupart des noms propres, y compris presque tous les noms féminins de pays, ne prennent pas d'article en espagnol (voir A 1d) pour la liste des noms de pays qui peuvent prendre l'article) :

Alemania es un país mucho más rico que España
l'Allemagne est un pays beaucoup plus riche que l'Espagne

Gran Bretaña votó en contra de la propuesta
la Grande-Bretagne a voté contre la proposition

Cependant, on emploie l'article dans les cas suivants :

1 Lorsque le nom d'une personne est précédé d'un titre :

el señor Carballo no estaba
monsieur Carballo n'était pas là

el general Olmeda ya se había marchado
le général Olmeda était déjà parti

Les exceptions à cette règle sont les suivantes :

– les titres don et doña
– lorsque le titre est employé au discours direct
– les titres étrangers

¿qué piensa de esto, señor Carballo?
que pensez-vous de ceci, monsieur Carballo ?

Lord Byron era un poeta inglés muy conocido
Lord Byron était un poète anglais très célèbre

2 Lorsque le nom est employé avec un adjectif :

el pobre Juan no sabía qué hacer
le pauvre Juan ne savait pas quoi faire

ocurrió muchas veces en la Alemania nazi
ceci s'est produit à maintes reprises dans l'Allemagne nazie

3 Devant les sigles :

Les sigles sont d'un emploi très fréquent en espagnol. Ils sont presque toujours précédés de l'article et leur genre est déterminé par le genre du premier nom de la forme en toutes lettres.

Voici quelques sigles couramment employés :

la UE	la Unión Europea	l'UE
la OTAN	la Organización del Tratado del Atlántico Norte	l'OTAN
una ONG	una Organización no Gubernamental	une ONG
el INEM	el Instituto Nacional de Empleo	≈ l'ANPE
el PSOE	el Partido Socialista Obrero Español	le parti socialiste espagnol
el PP	el Partido Popular	le parti conservateur espagnol
el IVA	el Impuesto sobre el Valor Añadido	la TVA
el PVP	el Precio de Venta al Público	le prix de vente au détail

E L'ARTICLE NEUTRE lo

1 Les noms abstraits

L'article neutre lo s'emploie presque exclusivement avec les adjectifs et les adverbes. Lorsqu'il est employé avec un adjectif, il transforme celui-ci en nom abstrait sans en modifier le sens. Par exemple lo bueno signifie "ce qui est bon". La traduction de ces "noms" varie en fonction du contexte dans lequel ils sont employés :

lo esencial es que todos estemos de acuerdo
l'essentiel est que nous soyons tous d'accord

lo verdaderamente importante es que todos lo acepten
ce qui est vraiment important, c'est que tout le monde l'accepte

lo más absurdo es que él no sabía nada
le plus absurde, c'est qu'il ne savait rien

2 "Combien", "à quel point"

Lo + adjectif exprime l'idée de "combien" ou "à quel point" dans les constructions comme celles qui suivent. Remarquez que dans ces constructions, l'adjectif s'accorde avec le nom qu'il qualifie. S'il n'y a pas de nom, on emploie la forme masculine :

no me había dado cuenta de lo caras que eran esas gafas
je n'avais pas réalisé combien ces lunettes étaient chères

¿no ves lo estúpido que es?
ne vois-tu pas à quel point c'est idiot ?

3 Lo que

Lo que correspond au démonstratif neutre français "ce qui" ou "ce que" :

lo que me sorprende es que no haya dicho nada
ce qui me surprend, c'est qu'elle n'ait rien dit

no es lo que quería
ce n'est pas ce que je voulais

4 Lo de

Cette tournure n'a pas d'équivalent exact en français. Elle se traduit selon les cas par "ce qui appartient à", "ce qui concerne", etc.

se llevaron todo lo de mis padres
ils ont emporté tout ce qui appartenait à mes parents

lo de Carmen es increíble
ce qui est arrivé à Carmen est incroyable

lo del dinero debe de ser una broma
cette histoire d'argent doit être une plaisanterie

2 LES NOMS

A LE GENRE

En espagnol, tous les noms sont soit masculins soit féminins. Tous les mots (adjectifs ou articles) employés avec un nom s'accordent en genre avec le nom auquel ils se rapportent (pour les exceptions, voir pages 37-8) :

el hombre moreno
l'homme brun

una chica simpática
une fille sympathique

1 Le genre d'après la terminaison

On peut souvent déduire le genre d'un nom d'après sa terminaison :

a) La plupart des noms se terminant par -o sont masculins :

el libro
le livre

el dinero
l'argent

el piano
le piano

Quelques mots d'un usage très courant font exception à cette règle :

la radio
la radio

la mano
la main

b) La plupart des noms se terminant par -a sont féminins :

la aduana
la douane

la casa
la maison

la mañana
le matin

Voici quelques mots courants qui font exception à cette règle :

el día
le jour

el mapa
la carte

el idioma
la langue

el clima
le climat

La plupart des noms se terminant en -ema et quelques noms se terminant en -ama sont masculins :

el lema
la devise

el problema
le problème

el sistema
le système

el drama
le drame

el programa   el telegrama
le programme   *le télégramme*

c) Presque tous les noms se terminant par **-d** sont féminins :

la ciudad	la vid	la juventud	la pared
la ville	*la vigne*	*la jeunesse*	*le mur*

la dificultad
la difficulté

d) Presque tous les noms se terminant en **-ión** sont féminins :

la nación   la región
la nation   *la région*

Quelques mots d'un usage très courant font exception :

el camión   el avión
le camion   *l'avion*

2 Le genre d'après le sens

a) *Les personnes et les animaux*

Lorsqu'il s'agit de personnes et d'animaux, la signification du nom détermine souvent son genre. Par exemple :

el hombre	la mujer	la vaca
l'homme	*la femme*	*la vache*

b) *Les noms ayant les deux genres*

Il y a de nombreux noms se terminant en **-ista** qui peuvent être soit masculins soit féminins suivant le sexe de la personne à laquelle ils font référence :

el/la socialista   el/la periodista
le/la socialiste   *le/la journaliste*

el/la artista
l'artiste

Ces noms se terminent en **-a** au masculin comme au féminin.

c) *Les noms possédant une forme différente pour chaque genre*

Certains noms peuvent avoir l'un ou l'autre genre en fonction du sexe de la personne décrite, en particulier pour les noms se rapportant à des professions :

el camarero *le serveur*	la camarera *la serveuse*
el diputado *le député*	la diputada *la députée*
el niño *l'enfant, le petit garçon*	la niña *l'enfant, la petite fille*

Quelquefois, une modification orthographique plus importante est nécessaire :

el actor *l'acteur*	la actriz *l'actrice*
el emperador *l'empereur*	la emperatriz *l'impératrice*

d) *Les noms en période de transition*

Certains noms connaissent une période de transition. Il s'agit notamment des noms de professions occupées jusqu'à présent en majorité par des hommes.

Par exemple, pour parler d'une femme juge, on entend actuellement aussi bien la juez que la jueza.

e) *Les noms dont le sens change suivant le genre*

Certains noms peuvent avoir les deux genres, mais leur signification change en fonction du genre :

el policía *le policier*	la policía *la police*
el guía *le guide (personne)*	la guía *le guide (livre)*
el capital *le capital*	la capital *la capitale*
el cura *le curé*	la cura *la cure*
el pendiente *la boucle d'oreille*	la pendiente *la pente*
el moral *le mûrier*	la moral *la morale*

B LE PLURIEL

1 Formation

a) *Terminaisons*

- Les noms se terminant par une voyelle non accentuée prennent un -s :

el libro → los libros	la regla → las reglas
le livre → les livres	*la règle → les règles*

- La plupart des noms se terminant par une voyelle accentuée prennent -es :

el rubí → los rubíes
le rubis → les rubis

mais certains noms courants ne prennent qu'un -s :

el café → los cafés	la mamá → las mamás
le café → les cafés	*la maman → les mamans*
el papá → los papás	
le papa → les papas	

- Les noms se terminant par une consonne autre que -s prennent -es :

la tempestad → las tempestades	el señor → los señores
la tempête → les tempêtes	*le monsieur → les messieurs*

- Les noms se terminant déjà par -s :

Si la dernière syllabe est accentuée, ajoutez -es :

el inglés → los ingleses
l'Anglais → les Anglais

Si la dernière syllabe n'est pas accentuée, le mot ne change pas :

el lunes → los lunes
le lundi → les lundis

b) *Modification orthographique*

Les noms se terminant par -z changent leur -z en -ces au pluriel :

la actriz → las actrices	la voz → las voces
l'actrice → les actrices	*la voix → les voix*

c) *Modification de l'accent écrit*

La plupart des noms singuliers ayant un accent écrit sur la dernière syllabe perdent cet accent au pluriel, celui-ci n'étant plus nécessaire (voir pages 222-3) :

la nación → las naciones
la nation → les nations

Inversement, les quelques noms se terminant par -n et qui sont accentués sur l'avant-dernière syllabe au singulier doivent prendre un accent écrit au pluriel pour signaler que l'accent tonique reste au même endroit :

el joven → los jóvenes
le jeune homme → les jeunes hommes

el crimen → los crímenes
le crime → les crimes

Il existe deux noms en espagnol qui changent leur accentuation lorsqu'ils passent du singulier au pluriel :

el carácter →los caracteres (l'accent tonique est sur le -e-)
le caractère →les caractères

el régimen → los regímenes
le régime → les régimes

d) *Pluriel des mots composés*

Le pluriel des noms composés de deux mots juxtaposés (voir page 36) se forme en mettant le premier nom au pluriel :

la fecha límite → las fechas límite
la date limite → les dates limites

el retrato robot → los retratos robot
le portrait-robot → les portraits-robots

Pour les noms composés de deux mots fusionnés (voir page 36), on applique les règles normales de la formation du pluriel :

la telaraña → las telarañas
la toile d'araignée → les toiles d'araignée

la coliflor → las coliflores
le chou-fleur → les choux-fleurs

e) *Sigles*

Lorsque la forme en toutes lettres est un pluriel, les initiales sont redoublées :

EE.UU.	Estados Unidos	États-Unis
CC.OO.	Comisiones Obreras	syndicat espagnol
FF.AA.	Fuerzas Armadas	forces armées
JJ.OO.	Juegos Olímpicos	jeux Olympiques

f) *Pluriel des mots anglais*

La plupart des mots anglais employés en espagnol gardent la forme anglaise du pluriel :

el camping → los campings
el póster → los pósters
el cómic *(bande dessinée)* → los cómics

Cependant, certains mots anglais utilisés depuis longtemps en espagnol ont adopté un pluriel espagnol :

el eslogan → los eslóganes
el bar → los bares
el supermán → los supermanes

Mais pour certains mots, les deux formes s'emploient couramment :

el club → los clubes/clubs

2 Emploi spécial du masculin pluriel

Le masculin pluriel est fréquemment utilisé pour parler d'un couple ou d'un ensemble de personnes des deux sexes :

mis padres
mes parents

mis hijos
mes enfants

mis tíos
mon oncle et ma tante

los Reyes
le roi et la reine

C DEUX EMPLOIS PARTICULIERS

1 Les noms composés

Parmi les noms communs, on trouve des composés, dont les éléments peuvent être soit juxtaposés (la fecha límite = *la date limite* ; el retrato robot = *le portrait-robot*), soit fusionnés (el baloncesto = *le basket-ball* ; la coliflor = *le chou-fleur*).

Pour le pluriel des mots composés, voir B 1d).

2 L'infinitif

Il est possible d'utiliser l'infinitif d'un verbe comme nom, parfois précédé de l'article el :

(el) fumar es peligroso para la salud
fumer est dangereux pour la santé

votar es un derecho y un deber
voter est un droit et un devoir

3 LES ADJECTIFS

A LA FORMATION DU PLURIEL ET DU FÉMININ

1 Le pluriel des adjectifs

Les adjectifs obéissent aux mêmes règles que les noms quant à la formation du pluriel. Voir pages 33-4 :

estos libros son viejos y sucios
ces livres sont vieux et sales

unas personas simpáticas
des personnes sympathiques

Les mêmes modifications de l'orthographe et de l'accentuation se produisent :

feliz → felices
heureux

holgazán → holgazanes
paresseux

2 Le féminin des adjectifs

a) Les adjectifs se terminant par -o changent leur -o en -a :

un vuelo corto
un vol court

una estancia corta
un séjour court

b) Les adjectifs se terminant par d'autres voyelles ou par des consonnes (autres que ceux dont il est question aux paragraphes c) et d)) ont la même forme au masculin et au féminin :

un coche verde
une voiture verte

una hoja verde
une feuille verte

un problema fundamental
un problème fondamental

una dificultad fundamental
une difficulté fondamentale

c) À ceux qui se terminent par -án, -ín, -ón et -or, on ajoute un -a :

un niño hablador
un garçon bavard

una mujer habladora
une femme bavarde

Les adjectifs comparatifs se terminant par -or constituent l'exception à cette règle (voir page 55) :

una idea mejor
une meilleure idée

Remarquez aussi que ceux qui se terminent en -án et -ón perdent leur accent au féminin :

una muchacha muy holgazana
une fille très paresseuse

d) On ajoute un -a aux adjectifs indiquant la nationalité ou la provenance, s'ils se terminent par une consonne. Tout accent écrit disparaît aussi :

un hotel francés	una pensión francesa
un hôtel français	*une pension de famille française*
un vino andaluz	una sopa andaluza
un vin andalou	*une soupe andalouse*

e) Les adjectifs se terminant en -ícola et -ista ont la même forme au masculin et au féminin :

un país agrícola	una región vinícola
un pays agricole	*une région vinicole*
el partido comunista	la ideología socialista
le parti communiste	*l'idéologie socialiste*

B L'APOCOPE DE L'ADJECTIF

a) Certains adjectifs perdent leur -o immédiatement avant un nom masculin singulier :

alguno	¿hay algún autobús por aquí? *est-ce qu'il y a un autobus par ici ?*
ninguno	no veo ningún tren *je ne vois aucun train*
bueno	un buen vino *un bon vin*
malo	el mal tiempo *le mauvais temps*
primero	el primer día del año *le premier jour de l'année*
tercero	el tercer edificio *le troisième bâtiment*

Notez que ningún et algún doivent prendre un accent écrit lorsque l'on fait ainsi l'apocope.

b) Grande devient gran avant les noms au masculin singulier et au féminin singulier :

un gran señor
un grand monsieur

una gran señora
une grande dame

Lorsque grande fait référence à la taille, il est habituellement placé après le nom, auquel cas on ne fait pas l'apocope :

un coche grande
une grande voiture

una cocina grande
une grande cuisine

c) Cualquiera devient cualquier devant les noms singuliers qu'ils soient masculins ou féminins :

cualquier libro
n'importe quel livre

cualquier casa
n'importe quelle maison

d) Santo devient san avant les noms de saints, sauf ceux qui commencent par Do- ou To- :

San Pablo
Santo Domingo

San Pedro
Santo Tomás

En revanche, santo garde toujours la même orthographe devant un nom commun :

mi santo patrón
mon saint patron

mi santo padre
mon saint père

C L'ACCORD

Comme en français, tous les adjectifs espagnols doivent s'accorder à la fois en genre et en nombre avec le nom qu'ils décrivent :

las paredes eran blancas, y el suelo era blanco también
les murs étaient blancs et le sol était blanc également

Si un seul adjectif se rapporte à plusieurs noms, certain masculins, d'autres féminins, il prend la marque du masculin (comme en français) :

las paredes y el suelo eran blancos
les murs et le sol étaient blancs

Si un nom pluriel est suivi d'une série d'adjectifs, chacun d'entre eux se rapportant à une seule caractéristique du nom, chaque adjectif peut prendre la forme du singulier, là encore comme en français :

los partidos socialista y comunista votaron en contra de la ley
les partis socialiste et communiste ont voté contre la loi

D LA PLACE DE L'ADJECTIF

Bien que la plupart des adjectifs soient généralement placés après le nom, ils peuvent être placés avant le nom dans une forme emphatique. C'est là une possibilité largement utilisée en espagnol écrit contemporain mais moins courante dans la langue parlée :

este equipo da una fiel reproducción del sonido original
ce matériel fournit une reproduction fidèle du son original

Il s'agit là d'un effet stylistique à utiliser avec circonspection, à moins d'avoir déjà rencontré l'exemple spécifique que vous souhaitez utiliser.

Lorsque plusieurs adjectifs servent à décrire le même nom, les adjectifs considérés comme les plus importants doivent être placés le plus près du nom, comme en français :

un diputado socialista español conocido
un député socialiste espagnol célèbre

la política agraria común europea
la politique agricole commune européenne

E POUR MODIFIER LA FORCE D'UN ADJECTIF

1 Les diminutifs et les augmentatifs

Voir page 43.

2 Les adverbes

Un grand nombre d'adverbes peuvent être utilisés pour modifier la force d'un adjectif. En ce qui concerne la formation des adverbes, voir page 47. Une liste des adverbes d'intensité est donnée page 52.

Tout adjectif ainsi modifié par un adverbe doit suivre le nom, même si la forme simple précède normalement le nom :

es una comedia tremendamente **divertida**
c'est une comédie extrêmement drôle

Remarque :

De même qu'en français, les adverbes sont invariables ; leur forme ne change jamais quels que soient le genre et le nombre des adjectifs qu'ils modifient :

la casa era demasiado **pequeña**
la maison était trop petite

a) *Pour augmenter la force d'un adjectif*

este libro es sumamente **interesante**
ce livre est extrêmement intéressant

encuentro todo esto muy **aburrido**
je trouve tout cela très ennuyeux

Muy ne peut pas être utilisé seul. S'il n'est pas suivi par aucun adjectif, il est remplacé par mucho. Dans ce cas, mucho est utilisé en tant qu'adverbe et sa forme ne change jamais :

¿encontraste interesante la revista? – sí, mucho
tu as trouvé le magazine intéressant ? – oui, très

b) *Pour diminuer la force d'un adjectif*

L'adverbe poco est utilisé pour diminuer la force de l'adjectif ou même lui donner une signification opposée :

me parece poco **probable que venga**
il me semble peu probable qu'elle vienne

Remarque :

Poco ne doit pas être confondu avec un poco, qui veut dire "un peu". La sopa está poco caliente (*la soupe n'est pas très chaude*) ne veut évidemment pas dire la même chose que la sopa está un poco caliente (*la soupe est un peu chaude*).

 **F LES LOCUTIONS ADJECTIVALES**

L'espagnol, tout comme le français, peut utiliser un grand nombre de locutions adjectivales pour décrire un nom. Elles consistent principalement en des noms introduits par la préposition **de**, bien que l'on emploie parfois d'autres prépositions :

un hombre de dos metros de altura
un homme de deux mètres

una mujer de pelo rubio y ojos azules
une femme aux cheveux blonds et aux yeux bleus

refugiados sin casa ni dinero
des réfugiés sans logis et sans argent

4 LES AUGMENTATIFS ET LES DIMINUTIFS

A FORMES

1 Les augmentatifs

a) Les suffixes suivants sont ajoutés, en tant qu'augmentatifs, aux noms et aux adjectifs :

masculin	-ón	-azo	-acho	-ote
féminin	-ona	-aza	-acha	-ota

tiene unas manazas enormes
il a des paluches énormes

es un libro aburridote
c'est un livre vraiment ennuyeux

b) Toute voyelle se trouvant à la fin du nom d'origine tombe :

un muchacho → un muchachazo
un grand gars

un hombre → un hombrote
un grand gaillard

2 Les diminutifs

a) Les suffixes suivants sont ajoutés, en tant que diminutifs, aux noms, aux adjectifs, aux participes et aux adverbes :

formes courtes	-ito	-illo	-uelo	-ín	-ucho
formes longues	-(e)cito	-(e)cillo	-(e)zuelo		

Toutes ces terminaisons peuvent être mises au féminin en changeant le -o en -a (-ín devient -ina).

mi abuelito
mon papi

estoy cansadilla
je suis assez fatiguée

la iglesia queda cerquita
l'église est tout près

b) Lorsque le mot se termine par une voyelle, celle-ci tombe :

Ana → Anita   señora → señorita

c) Les formes longues -cito, -cillo et -zuelo sont utilisées avec des mots de plus d'une syllabe se terminant en -n, -r ou -e :

salón → saloncito   calor → calorcito

d) Les formes -ecito, -ecillo et -ezuelo sont utilisées avec les mots d'une syllabe :

flor → florecita, florecilla   pez → pececito, pececillo

Notez que des modifications orthographiques (z devenant c) peuvent s'avérer nécessaires.

Ces formes sont aussi utilisées avec les mots polysyllabiques lorsqu'ils contiennent une diphtongue (-ie ou -ue) accentuée. La voyelle finale tombe :

pueblo → pueblecito   nieto → nietecito

e) Lorsque l'on ajoute un suffixe, l'accent écrit de la terminaison du mot d'origine tombe :

salón → saloncito

Un accent écrit est ajouté à la voyelle faible (voir page 222) du suffixe lorsque le mot d'origine se termine par une voyelle accentuée :

mamá → mamaíta

B EMPLOI

L'ajout d'un augmentatif ou d'un diminutif à la fin du nom, de l'adjectif, du participe ou de l'adverbe est une caractéristique de l'espagnol. Les augmentatifs et les diminutifs peuvent revêtir une signification simplement physique ou introduire des éléments plus subjectifs dans la manière dont on présente une chose ou une personne.

Le maniement des augmentatifs et des diminutifs en espagnol exige une certaine circonspection et l'étudiant doit être vigilant lorsqu'il utilise au hasard des suffixes de sa propre invention. N'utilisez que ceux dont la connotation vous est familière.

1 Les augmentatifs

Les augmentatifs indiquent principalement la taille, bien que parfois l'idée de ridicule ou même de laideur puisse être sous-entendue :

llegó un **hombrón** y se puso a trabajar
un grand gars est arrivé et s'est mis au travail

un **hombrote**/**hombrazo**/**hombracho**
une grosse brute

une **mujerona**
une femme hommasse

2 Les diminutifs

Les diminutifs sont très utilisés en espagnol parlé, mais sont nettement moins courants dans la langue écrite soutenue, dans laquelle leur emploi serait souvent déplacé. Ils peuvent exprimer la taille, mais le plus souvent ils suggèrent une attitude favorable ou défavorable du locuteur à l'égard de ce qu'il décrit. Il n'existe bien souvent pas de traduction directe pour un diminutif employé de cette façon ; on peut, par exemple, ajouter dans la traduction un adjectif qui rende la nuance exprimée.

a) *Taille*

un **momentito**, por favor   había una **mesita** en el rincón
un petit instant, s'il vous plaît   *il y avait une petite table dans*
                                        le coin

b) *Attitude favorable*

Ceci est principalement exprimé par le suffixe -ito, qui est le diminutif le plus courant :

me miraba con la **carita** cubierta de lágrimas
il me regardait, son pauvre petit visage couvert de larmes

"hola", me dijo con su **vocecita** encantadora
"bonjour", m'a-t-elle dit de sa petite voix charmante

c) *Attitude défavorable*

Ceci est exprimé par le diminutif -uelo qui est relativement rare :

el **muchachuelo** le dio una patada a la lata
le gamin a donné un coup de pied dans la boîte de conserve

pasamos por dos o tres aldehuelas sin interés
nous avons traversé deux ou trois petits bleds sans intérêt

3 Les suffixes sans valeur augmentative ou diminutive

Certains mots à suffixe augmentatif ou diminutif sont devenus des mots à part entière et ont perdu les connotations évoquées ci-dessus :

el sillón
le fauteuil

el gatillo
la gâchette

la tesina
le mémoire (à l'université)

C'est notamment le cas des mots se terminant en -azo ou -ón et traduisant l'idée de choc, de "coup de..." :

un codazo
un coup de coude

un frenazo
un coup de frein

un empujón
une poussée

5 LES ADVERBES

On emploie les adverbes avec des verbes, des adjectifs et d'autres adverbes. Employés avec un verbe, ils décrivent :

comment une action a lieu	adverbes de manière
quand une action a lieu	adverbes de temps
où une action a lieu	adverbes de lieu
le degré de l'action	adverbes d'intensité

1 Les adverbes de manière

a) On peut construire la plupart de ces adverbes en ajoutant -mente à la forme du féminin singulier de l'adjectif :

lenta → lentamente   extensa → extensamente
lente → lentement   *large → largement*

Les accents qui apparaissent dans l'adjectif sont conservés dans l'adverbe :

lógica → lógicamente   rápida → rápidamente
logique → logiquement   *rapide → rapidement*

b) Lorsque deux adverbes ou plus sont employés pour décrire le même verbe, seul le dernier prend la terminaison -mente ; ceux qui précèdent gardent la forme du féminin de l'adjectif :

habló clara y rápidamente
il a parlé clairement et rapidement

c) Les adverbes de manière suivants n'ont pas de forme en -mente :

bien	*bien*
mal	*mal*
adrede	*exprès*
así	*ainsi*
¿cómo?	*comment ?*
de prisa	*vite*
despacio	*lentement*
pronto	*vite*

caminaban despacio por el calor que hacía
ils marchaient lentement à cause de la chaleur

tú has trabajado bien, Juanito
tu as bien travaillé, Juanito

De même, certains adjectifs masculins s'emploient de façon adverbiale et n'ont donc pas de forme en -mente :

alto	*fort*
bajo	*bas*
fuerte	*fort*
rápido	*vite*
recto	*droit*

siga todo recto
continuez tout droit

habla siempre muy alto
elle parle toujours très fort

2 Les adverbes de temps

La plupart de ces adverbes ne sont pas construits à partir d'adjectifs. Les plus courants sont les suivants :

ahora	*maintenant*
anoche	*hier soir, la nuit dernière*
anteanoche	*avant-hier soir*
anteayer/antes de ayer	*avant-hier*
antes	*avant*
aún	*encore*
ayer	*hier*
cuando	*quand*
¿cuándo?	*quand ?*
después	*après, ensuite*
enseguida	*immédiatement, tout de suite*
entonces	*alors*
entretanto	*entre-temps*
hoy	*aujourd'hui*
jamás	*jamais*
luego	*tout de suite, ensuite*
mañana	*demain*
nunca	*jamais*
primero	*premièrement, d'abord*
pronto	*tôt, bientôt*
prontísimo	*très tôt, très bientôt*
recientemente	*récemment*
siempre	*toujours (constamment)*

tarde	*tard*
tardísimo	*très tard*
temprano	*tôt, de bonne heure*
tempranísimo	*très tôt, de très bonne heure*
todavía	*encore, toujours*
ya	*déjà/maintenant/plus tard/autrefois*

Quelques locutions adverbiales de temps couramment employées :

a continuación	*ensuite, à la suite*
acto seguido	*tout de suite après, tout de suite*
algunas veces	*parfois, quelquefois*
a menudo	*souvent*
a veces	*parfois, quelquefois*
dentro de poco	*d'ici peu, avant peu, sous peu*
de vez en cuando	*de temps en temps*
en adelante	*désormais*
en breve	*bientôt, sous peu*
mientras tanto	*pendant ce temps*
muchas veces	*souvent*
nunca más	*jamais plus, plus jamais*
otra vez	*encore une fois, de nouveau*
pasado mañana	*après-demain*
pocas veces	*rarement*
rara vez	*rarement*
repetidas veces	*à plusieurs reprises*
una y otra vez	*maintes et maintes fois*

quiero empezar ahora, no espero hasta mañana
je veux commencer maintenant, je ne vais pas attendre jusqu'à demain

siempre va en tren hasta el centro, luego coge el autobús
elle se rend toujours dans le centre en train, et ensuite elle prend l'autobus

quedamos en vernos pasado mañana, no mañana
nous nous sommes mis d'accord pour nous voir après-demain et non pas demain

Quelques remarques sur certains adverbes de temps :

a) Outre le sens de "déjà", ya a aussi le sens de "tout de suite" dans le langage courant :

¡ya voy!
j'arrive !

Dans certains cas, il n'existe pas de traduction évidente de ya en français car cet adverbe a souvent une valeur emphatique :

ya me lo decía yo
c'est bien ce que je pensais

À la forme négative ya no signifie "ne... plus" :

siempre iba a ver a su tía los sábados, pero ya no va
elle rendait toujours visite à sa tante le samedi, mais elle ne le fait plus

Attention à ne pas confondre ya no avec todavía no, qui signifie "pas encore" :

todavía no han llegado
ils ne sont pas encore arrivés

b) Luego peut aussi signifier "donc" :

pienso luego existo
je pense donc je suis

c) Recientemente devient recién devant les participes passés. Recién est invariable quels que soient le genre et le nombre du participe passé :

un niño recién nacido   los recién casados
un nouveau-né   *les jeunes mariés*

3 Les adverbes de lieu

Voici les plus courants :

abajo	*dessous/en bas*
adelante	*en avant*
adonde	*là où, où*
¿adónde?	*où ?*
ahí	*là*
allí	*là-bas*
allá	*là-bas*
alrededor	*autour*
aquí	*ici*
arriba	*dessus/là-haut/en haut*
atrás	*en arrière*
cerca	*près*
debajo	*dessous*
delante	*devant*
dentro	*dedans/à l'intérieur*

detrás	*derrière*
donde	*là où, où*
¿dónde?	*où ?*
encima	*dessus/au-dessus/en plus*
enfrente	*en face*
fuera	*dehors, au dehors*
lejos	*loin*

Quelques locutions adverbiales :

en alguna parte	*quelque part*
en otra parte	*autre part*
en/por todas partes	*partout*

| ¿dónde está Juan? – está dentro | la aldea donde nací |
| *où est Juan ? – il est à l'intérieur* | *le village où je suis né* |

¿hay alguna tienda por aquí cerca?
y a-t-il un magasin par ici ?

se me cayeron encima
elles me sont tombées dessus

Quelques remarques sur certains adverbes de lieu :

a) Il existe entre les adverbes aquí, ahí et allí/allá la même relation qu'entre les adjectifs démonstratifs este, ese et aquel (voir pages 81-2) :

– aquí signifie "ici" *(près de moi)*

– ahí signifie "là" *(près de toi)*

– allí et allá signifient "là-bas" *(loin de nous deux)*

Allá indique le lieu de façon moins précise que allí.

Autre différence entre ces deux adverbes : allá peut être qualifié par un autre adverbe, notamment más ; más allá signifie "plus loin".

b) Les formes arriba, abajo, adelante et atrás peuvent s'employer immédiatement après un nom dans les locutions adverbiales telles que :

| aquello sucedió años atrás | andábamos calle abajo |
| *cela s'est produit il y a des années* | *nous descendions la rue* |

On trouve aussi adentro et a través dans des expressions toutes faites :

mar adentro	campo a través
au large	*à travers champs*

c) Donde/¿dónde? et adonde/¿adónde?

Donde et ¿dónde? s'emploient lorsqu'il n'y a pas d'idée de mouvement, contrairement à adonde et ¿adónde? :

éste es el pueblo donde vivo	¿dónde están mis gafas?
c'est le village où j'habite	*où sont mes lunettes ?*

es un país adonde me gustaría ir de vacaciones
c'est un pays où j'aimerais aller en vacances

¿adónde vais este verano?
où allez-vous cet été ?

Notez que les formes interrogatives portent un accent pour les distinguer des formes non interrogatives.

4 Les adverbes d'intensité

Voici les plus courants :

algo	*un peu/assez*
apenas	*à peine*
bastante	*assez/suffisamment*
casi	*presque*
como	*approximativement*
cuánto	*à quel point/combien*
demasiado	*trop*
más	*plus, davantage*
menos	*moins/de moins*
mitad/medio	*moitié/à moitié/mi-beaucoup*
mucho	*beaucoup*
muy	*très*
nada	*pas du tout*
poco	*peu*
qué	*combien, comme*
suficientemente	*suffisamment*
tan	*si/tellement/aussi*
tanto	*tant/autant/tellement*
todo	*tout/entièrement*
un poco	*un peu*

la casa es muy vieja pero es bastante grande
la maison est très vieille, mais assez grande

me gusta mucho la tortilla, pero no me gustan nada los calamares
j'aime beaucoup la tortilla, mais je n'aime pas du tout les calmars

todavía es demasiado pequeño para ir solo
il est encore trop petit pour y aller seul

hoy se siente un poco mejor
elle se sent un peu mieux aujourd'hui

Quelques remarques sur certains adverbes d'intensité :

a) Cet emploi de qué est réservé aux tournures exclamatives :

¡qué inteligente eres!
comme tu es intelligent !

b) Muy s'emploie avec les adjectifs et les locutions adjectivales
ainsi qu'avec les adverbes :

estoy muy cansado
je suis très fatigué

ya era muy tarde cuando volvió
il était déjà très tard quand il est rentré

Dans quelques cas exceptionnels, il peut s'employer avec
un nom :

es muy amigo mío
c'est un de mes très bons amis

c) Lorsqu'il est employé en tant qu'adverbe, mucho accompagne les
verbes, les adverbes comparatifs et les adjectifs comparatifs :

me gustó mucho   está mucho mejor
ça m'a beaucoup plu   *elle va beaucoup mieux*

d) Medio, employé en tant qu'adverbe, reste toujours invariable :

María estaba medio dormida
María était à moitié endormie

e) Remarquez la présence de lo et como para dans la phrase
suivante, construite avec suficientemente :

no es lo suficientemente inteligente como para entender esto
il n'est pas suffisamment intelligent pour comprendre cela

5 La place des adverbes dans la phrase

Elle est comparable au français, à deux exceptions près :

a) Les adverbes de lieu et de temps peuvent se placer soit avant,
soit après le verbe :

allí está, enfrente del cine/está allí, enfrente del cine
il est là, devant le cinéma

mañana me voy de vacaciones/me voy de vacaciones mañana
je pars en vacances demain

b) L'adverbe n'est **jamais** placé entre l'auxiliaire et le participe passé, contrairement au français :

te has portado muy bien
tu t'es très bien conduit

6 LA COMPARAISON

A LA COMPARAISON DE SUPÉRIORITÉ ET D'INFÉRIORITÉ

1 Formes

a) *Formes régulières*

Pour construire une forme comparative en espagnol, placez simplement le mot **más** (*plus*) ou **menos** (*moins*) devant l'adjectif ou l'adverbe :

más bajo
plus bas

menos alto
moins haut

más despacio
plus lentement

menos rápido
moins vite

b) *Formes irrégulières*

Il y a six comparatifs irréguliers :

bueno *bon*	→	mejor *meilleur*
grande *grand*	→	mayor *plus grand**
malo *mauvais*	→	peor *pire*
mucho *beaucoup*	→	más *plus*
pequeño *petit*	→	menor *plus petit**
poco *peu*	→	menos *moins*

Remarque :

Les comparatifs en -or ne prennent pas la marque du féminin :

mi hermano mayor
mon frère aîné

mi hermana mayor
ma sœur aînée

*Más grande et más pequeño existent mais se rapportent plutôt à la taille. Mayor et menor font davantage référence à l'importance relative de l'objet ou de la personne, ou à l'âge. Lorsqu'il concerne l'âge, mayor est souvent considéré en espagnol parlé comme un simple adjectif signifiant "vieux", "adulte", et il est quelquefois lui-même mis à la forme comparative :

es más mayor que mi abuelo
il est plus âgé que mon grand-père

Quoique relativement courant, cet usage est agrammatical et ne doit en aucun cas être imité dans la langue écrite d'un niveau soutenu.

2 Emploi

a) *La comparaison de supériorité*

Lorsque la comparaison repose sur un adjectif, la construction más + adjectif + que est utilisée (voir ci-dessus pour les comparatifs irréguliers) :

María es más simpática que su hermano
María est plus sympathique que son frère

Pour une comparaison portant sur la quantité, on emploie la construction más + nom + que :

ellos tienen más dinero que nosotros
ils ont plus d'argent que nous

Pour une comparaison avec un nombre ou un montant spécifique, on emploie de à la place de que :

vinieron más de cien personas
plus de cent personnes sont venues

esperamos más de media hora
nous avons attendu plus d'une demi-heure

b) *La comparaison d'infériorité*

La comparaison d'infériorité est exprimée par menos. Elle se construit sur le même modèle que la comparaison de supériorité :

esta revista es menos interesante que aquélla
ce magazine-ci est moins intéressant que celui-là

tengo menos paciencia que tú
j'ai moins de patience que toi

pagué menos de diez euros
j'ai payé moins de dix euros

c) *Les comparaisons avec* nunca, nadie, nada *et* cualquiera

Remarquez l'emploi des adverbes négatifs nunca, nadie, nada dans les tournures comparatives indéfinies en espagnol :

la situación es más grave que nunca
la situation est plus grave que jamais

él sabe más que nadie
il en sait plus que personne

estar contigo me gusta más que nada
ce que j'aime le plus au monde, c'est d'être avec toi

Si la comparaison se fait par rapport à une chose ou une personne en particulier, on utilise l'adjectif indéfini cualquiera (voir page 95) :

Isabel es más inteligente que cualquier otro estudiante
Isabel est plus intelligente que n'importe quel autre étudiant

d) *Lorsque le deuxième élément de la comparaison est une proposition*

Lorsque la comparaison repose sur un adjectif, la proposition est introduite par de lo que :

la situación es más compleja de lo que piensas
la situation est plus complexe que tu ne le penses

el problema era más difícil de lo que habían dicho
le problème était plus difficile qu'ils ne l'avaient dit

Lorsque la comparaison repose sur un nom, on utilise, selon le cas, del que, de la que, de los que, de las que. La forme choisie s'accorde en genre et en nombre avec le nom :

este plato contiene menos calorías de las que pensaba
ce plat contient moins de calories que je ne pensais

Las dans la locution de las que s'accorde avec calorías.

surgieron más problemas de los que habíamos previsto
il y a eu plus de problèmes que prévu

Los dans la locution de los que s'accorde avec problemas.

gasté más dinero del que ahorré
j'ai dépensé plus d'argent que je n'en ai économisé

El dans la locution del que s'accorde avec dinero.

B LA COMPARAISON D'ÉGALITÉ

Si la comparaison est fondée sur un adjectif, elle est exprimée par
tan + adjectif + como :

Juan es tan alto como su hermana
Juan est aussi grand que sa sœur

Luisa no es tan trabajadora como su hermana
Luisa n'est pas aussi travailleuse que sa sœur

Remarque :

Attention à ne pas confondre tan + adjectif + como (comparaison = *aussi... que*) et tan + adjectif + que (conséquence = *si... que*).
Comparez par exemple :

estoy tan enfermo como ella
je suis aussi malade qu'elle

estoy tan enfermo que no puedo levantarme
je suis si malade que je ne peux pas me lever

Si la comparaison est fondée sur un nom (comparaison de quantité = *autant de... que*), elle est exprimée par tanto + nom + como. Ici tanto est un adjectif et s'accorde donc avec le nom :

yo tengo tantos discos como tú
j'ai autant de disques que toi

Remarque :

Là encore, ne confondez pas tanto + nom + como (comparaison = *autant de... que*) et tanto + nom + que (conséquence = *tant de... que*). Comparez par exemple :

Carmen tiene tantos amigos como yo
Carmen a autant d'amis que moi

Carmen tiene tantos amigos que no puede invitarlos a todos
Carmen a tant d'amis qu'elle ne peut pas tous les inviter

C AUTRES LOCUTIONS COMPARATIVES

1 "De plus en plus" est exprimé en espagnol par la locution cada vez más :

encuentro su comportamiento cada vez más extraño
je trouve son comportement de plus en plus bizarre

Vez peut être remplacé par un autre mot indiquant la notion de temps sans que l'idée de "de plus en plus" soit perdue :

la situación se pone cada día más grave
la situation empire de jour en jour

"De moins en moins" se traduit par cada vez menos :

encuentro sus explicaciones cada vez menos verosímiles
je trouve ses explications de moins en moins vraisemblables

2 "Plus (moins)... plus (moins)" se traduit par cuanto + comparatif... tanto + comparatif. Cuanto est invariable lorsqu'il est utilisé avec un adjectif ou un adverbe mais s'accorde avec les noms.

Tanto est le plus souvent omis dans la deuxième partie de la comparaison.

cuanto más fáciles (son) los ejercicios, más le gustan
plus les exercices sont faciles, plus ils lui plaisent

cuantas más tonterías hace, más se ríen sus padres
plus il fait de bêtises, plus ses parents rient

cuantos menos problemas tengamos, más contenta estaré
moins nous aurons de problèmes, plus je serai contente

3 "D'autant plus" + adjectif + "que" se traduit en espagnol par tanto + adjectif à la forme comparative + cuanto que. Cette construction est réservée en espagnol à un niveau de langue très soutenu :

esto es tanto más importante cuanto que nos queda poco tiempo
ceci est d'autant plus important que nous n'avons pas beaucoup de temps

Dans la langue de tous les jours, on dirait plutôt :

esto es muy importante porque nos queda poco tiempo

D LA FORME SUPERLATIVE

1 Le superlatif relatif

a) *Formes*

De par sa forme, le superlatif relatif est identique au comparatif :

Juan es el estudiante más insolente de la clase
Juan est l'étudiant le plus insolent de la classe

este coche es el más caro
cette voiture est la plus chère

es la peor película que jamás he visto
c'est le plus mauvais film que j'aie jamais vu

Notez que, dans le dernier exemple, l'espagnol emploie l'indicatif là où le français emploie le subjonctif.

b) *Emploi*

Le superlatif relatif est utilisé pour exprimer la supériorité d'une chose sur toutes les autres choses de sa catégorie.

Luisa se puso su mejor traje
Luisa a mis son plus beau tailleur

Remarque :

> Contrairement au français, on ne répète pas l'article défini dans les tournures superlatives en espagnol, comme en témoigne l'exemple suivant :
>
> el español es la asignatura ø más interesante de las que estudio
> *l'espagnol est la matière la plus intéressante que j'étudie*

Comme en français, la préposition de est employée pour introduire la portée du superlatif :

es el hombre más rico de la ciudad
c'est l'homme le plus riche de la ville

Estados Unidos es el país más poderoso del mundo
les États-Unis sont le pays le plus puissant du monde

Remarquez les constructions suivantes :

España es el segundo país más grande de Europa
l'Espagne est le deuxième pays d'Europe quant à la taille

Brasil es el tercer país más poblado del mundo
*le Brésil est le troisième pays du monde du point de vue de la
population*

2 Le superlatif absolu

Le superlatif absolu décrit une chose sans faire référence aux
autres.

Il existe un superlatif absolu propre à l'espagnol, que l'on forme
en ajoutant la terminaison -ísimo à l'adjectif.

eso es rarísimo   **estos libros son carísimos**
c'est très curieux   *ces livres sont très chers*

estás guapísima hoy, María
tu es ravissante aujourd'hui, María

Si l'adjectif se termine déjà par une voyelle, celle-ci tombe :

alto → altísimo
importante → importantísimo

mais :

fácil → facilísimo

Lorsque l'adjectif perd une voyelle, des modifications orthographiques peuvent s'avérer nécessaires afin que l'orthographe
du mot reflète sa prononciation :

rico → riquísimo
feliz → felicísimo
largo → larguísimo

Le superlatif absolu peut aussi être exprimé par l'un des adverbes
d'intensité, dont muy, qui est le plus courant :

estás muy guapa hoy, María
tu es très en beauté aujourd'hui, María

encuentro esto sumamente interesante
je trouve cela extrêmement intéressant

7 LES PRONOMS PERSONNELS

A FORMES

1 Les pronoms sujets

	SINGULIER	PLURIEL
1ère personne	yo (*je*)	nosotros, nosotras (*nous*)
2ème personne	tú (*tu*)	vosotros, vosotras (*vous*)
3ème personne	él (*il*)	ellos (*ils*)
	ella (*elle*)	ellas (*elles*)
	usted (*vous*)	ustedes (*vous*)
	ello (*cela*)	

Usted et ustedes sont couramment abrégés en Vd. et Vds. (ou quelquefois en Ud. et Uds.). Ils sont suivis du verbe à la troisième personne du singulier ou du pluriel, selon le cas. Voir page 69 pour les différences entre Vd. et tú. Voir page 68 pour l'emploi de ello.

2 Les pronoms compléments d'objet

a) *Les pronoms compléments d'objet direct*

	SINGULIER	PLURIEL
1ère personne	me (*me*)	nos (*nous*)
2ème personne	te (*te*)	os (*vous*)
3ème personne	le (*le, vous*)	les (*les, vous*)
	la (*la, vous*)	las (*les, vous*)
	lo (*le, vous*)	los (*les, vous*)

b) *Les pronoms compléments d'objet indirect*

	SINGULIER	PLURIEL
1ère personne	me (*me*)	nos (*nous*)
2ème personne	te (*te*)	os (*vous*)
3ème personne	le (*lui, vous*)	les (*leur, vous*)

c) *Les pronoms réfléchis*

	SINGULIER	PLURIEL
1ère personne	me (*me*)	nos (*nous*)
2ème personne	te (*te*)	os (*vous*)
3ème personne	se (*se*)	se (*se*)

d) *Les pronoms précédés d'une préposition*

	SINGULIER	PLURIEL
1ère personne	mí (*moi*)	nosotros, nosotras (*nous*)
2ème personne	ti (*toi*)	vosotros, vosotras (*vous*)
3ème personne	él, ella, ello (*lui*)	ellos, ellas (*eux, elles*)
	Vd. (*vous*)	Vds. (*vous*)
(réfléchi)	sí (*lui/elle/soi*)	sí (*eux/elles/soi*)

Mí, ti et sí s'allient à con pour donner les formes suivantes :

conmigo	*avec moi*
contigo	*avec toi*
consigo	*avec lui/elle/vous/eux/elles/soi*

3 La place des pronoms

Lorsqu'il n'y a pas de préposition, les pronoms compléments d'objet sont généralement placés avant le verbe. Aux temps composés, ils sont placés avant l'auxiliaire :

él lo hizo
il l'a fait

yo le he visto
je l'ai vu

nos hemos levantado
nous nous sommes levés

Vd. se despierta
vous vous réveillez

Dans les trois cas suivants, le pronom se place après le verbe et lui est accolé :

a) Lorsque le verbe est à l'infinitif :

quiero verla
je veux la voir

salió después de hacerlo
il est sorti après l'avoir fait

Cependant, si l'infinitif suit immédiatement un autre verbe, le pronom peut précéder le premier verbe :

querían conocernos *ou* nos querían conocer
ils voulaient nous rencontrer

b) Lorsque le verbe est au participe présent :

estoy pintándolo
je suis en train de le peindre

estaba cantándola
elle était en train de la chanter

Là encore, dans le cas d'un verbe à la forme progressive, le pronom peut précéder le premier verbe :

están llevándolo *ou* lo están llevando
ils le portent

c) Lorsque l'on donne un ordre positif :

¡déjalo!
laisse cela !

¡date prisa!
dépêche-toi !

¡quédese aquí!
restez ici !

¡espéreme!
attendez-moi !

Cependant, le pronom précède le verbe lorsqu'il s'agit d'un ordre négatif :

¡no lo hagas!
ne fais pas ça !

¡no te muevas!
ne bouge pas !

4 L'ordre des pronoms

Lorsque l'on emploie ensemble deux pronoms ou plus, ils se placent dans l'ordre suivant :

a) Le pronom réfléchi se vient toujours en tête :

se me ha ocurrido
cela m'est venu à l'esprit

se le olvidó
elle a oublié

b) Lorsque deux pronoms compléments d'objet sont employés avec le même verbe, le pronom complément d'objet indirect est placé devant le pronom complément d'objet direct :

me lo dio
il me l'a donné

nos la mostraron
ils nous l'ont montrée

c) Si on emploie un pronom complément d'objet direct de la troisième personne (lo, la, le, los, las, les) et un pronom complément d'objet indirect de la troisième personne (le, les) avec le même verbe, les pronoms compléments d'objet indirect le et les sont tous deux remplacés par se, placé devant le pronom complément d'objet direct :

se la vendieron (a ella)
ils la lui ont vendue

se los mandó (a Vd.)
elle vous les a envoyés

L'ajout de a él, a ella, a Vd. ou a Vds., etc. peut préciser à qui ou à quoi le se fait référence.

5 Modifications de l'accentuation et de l'orthographe

a) *Les accents*

Lorsqu'on ajoute plus d'un pronom à un infinitif, un participe présent ou un impératif, il est généralement nécessaire de mettre un accent écrit au verbe d'origine pour marquer l'accent tonique si celui-ci est passé à l'avant-avant-dernière syllabe (voir page 222) :

¿quieres pasarme el vino? → ¿quieres pasármelo?
veux-tu me passer le vin ? → veux-tu me le passer ?

está explicándome la lección → está explicándomela
elle est en train de m'expliquer la leçon → elle est en train de me l'expliquer

dame el libro → dámelo
donne-moi le livre → donne-le-moi

ponga el libro en la mesa → póngalo en la mesa
mettez le livre sur la table → mettez-le sur la table

b) *Les modifications orthographiques*

Lorsque -se est accolé à une forme du verbe qui se termine par -s, ce dernier tombe :

vendámoselo
vendons-le-lui

Voir 4c) ci-dessus.

Le s final de la première personne du pluriel tombe devant le pronom réfléchi nos :

sentémonos
asseyons-nous

Le d de la deuxième personne du pluriel de l'impératif tombe devant le pronom réfléchi os :

sentaos, por favor
asseyez-vous, je vous prie

Avec les verbes de la troisième conjugaison, le i prend alors un accent :

vestíos
habillez-vous

Le verbe ir constitue la seule exception, puisque le d de l'impératif ne tombe pas :

idos
allez-vous en

 B EMPLOI

1 Les pronoms sujets

a) *Cas dans lesquels le pronom sujet n'est pas énoncé*

En français, le sujet du verbe est soit explicitement énoncé ("mon ami est retourné en Espagne hier") soit remplacé par un pronom ("il est retourné en Espagne hier").

Cependant, la terminaison du verbe en espagnol indique en général clairement quel est le sujet ; par exemple hablo ne peut signifier que "je parle", hablan ne peut signifier que "ils parlent". Par conséquent, on peut en espagnol employer le verbe seul sans pronom personnel :

¿qué piensas de todo esto?	iremos a la playa mañana
que penses-tu de tout cela?	*nous irons à la plage demain*

Il est en fait plus fréquent d'omettre le pronom personnel que de l'employer. Cependant, on emploie normalement Vd. et Vds. pour éviter toute confusion avec él, ella et ellos, ellas, puisque les terminaisons des verbes sont les mêmes :

¿por qué estudia Vd. español?
pourquoi est-ce que vous étudiez l'espagnol ?

Remarque :

On n'emploie pas le pronom personnel dans les constructions suivantes :

los franceses preferimos el champán
nous les Français, nous préférons le champagne

los españoles bebéis mucho vino
vous les Espagnols, vous buvez beaucoup de vin

b) *L'emploi des pronoms personnels sujets*

On exprime les pronoms personnels soit pour marquer l'emphase, soit dans les cas prêtant manifestement à confusion :

¡lo hizo él!	¿qué piensas tú de todo esto?
c'est lui qui l'a fait !	*que penses-tu de tout cela, toi ?*

él salió al cine, pero ella se quedó en casa
lui est allé au cinéma, mais elle est restée à la maison

Si les pronoms n'étaient pas exprimés dans ce dernier exemple, on ne saurait pas avec certitude qui fait quoi.

Souvenez-vous que nosotros et vosotros ont des formes du féminin qui doivent être employées si l'on ne parle que de femmes ou de filles :

María y Carmen, ¿qué pensáis vosotras de esto?
María et Carmen, qu'est-ce que vous en pensez ?

Remarquez également la différence entre l'espagnol et le français dans les constructions telles que :

¿quién es? – soy yo/somos nosotros
qui est-ce ? – c'est moi/c'est nous

soy yo quien quiere hacerlo
c'est moi qui veux le faire

Comme on peut le voir, le verbe "être" (ser) s'accorde avec le sujet exprimé (mais le verbe querer, dans le second exemple, se met à la troisième personne). Le pronom employé est le pronom sujet et non objet, comme c'est le cas en français.

c) Ello

Ello est un pronom neutre et ne s'emploie jamais pour faire référence à un objet spécifique. Il désigne une idée ou une situation. Son emploi en tant que sujet est rare et est généralement réservé à quelques constructions appartenant à un langage soutenu :

todo ello me parece muy extraño
tout cela me semble très étrange

Ello rappelle ici une situation à laquelle on vient juste de faire référence, de même que dans l'exemple suivant :

por ello decidió no continuar
c'est pourquoi il a décidé de ne pas continuer

d) *Pour mettre en valeur le pronom sujet*

On met en valeur les pronoms sujets en employant l'adjectif mismo à la forme qui convient :

lo hice yo mismo
je l'ai fait moi-même

Bien entendu, une personne du sexe féminin dirait lo hice yo misma.

Remarque :

En espagnol on utilise avec mismo le pronom sujet et non le pronom objet comme en français :

me lo dijo él mismo
il me l'a dit lui-même

e) Tú *et* usted

La tradition veut que l'on réserve l'emploi de tú aux amis proches et aux membres de la famille, ainsi qu'aux enfants, usted étant employé dans toutes les situations plus officielles. Cependant, il est certain que l'emploi de tú est récemment devenu beaucoup plus fréquent, et les jeunes qui se rendent en Espagne peuvent certainement s'attendre à ce que les gens de leur âge leur disent tú, et leur répondront en utilisant également tú.

Même les moins jeunes se verront tutoyés pas des personnes qu'ils ne connaissent pas. Il convient toutefois de faire preuve de prudence. L'emploi de usted est conseillé lorsque l'on s'adresse pour la première fois à une personne plus âgée, ou à une personne à laquelle on doit le respect. De manière générale, imitez les Espagnols auxquels vous vous adressez. Si tout le monde se tutoie, ce serait faire preuve de maladresse et de froideur que de s'obstiner à employer usted.

2 La traduction de "on", "les gens", etc.

a) *L'emploi de* tú

Dans l'espagnol de tous les jours, lorsqu'on s'adresse à une personne que l'on tutoierait, on emploie les formes du verbe correspondant au pronom tú pour exprimer l'idée de "on". C'est là un usage beaucoup plus répandu en espagnol qu'en français.

si tienes mucho dinero, puedes comprar lo que quieras
si on a beaucoup d'argent, on peut acheter ce qu'on veut

Cependant, dans la langue écrite ou orale d'un niveau plus soutenu, l'emploi de cette construction serait déplacé. Il existe plusieurs autres constructions, à savoir :

b) *Le verbe à la forme réfléchie*

- Si le verbe est intransitif ou si le complément d'objet est une proposition, une personne déterminée ou un pronom personnel, on emploie se + 3ème personne du singulier :

  se entra por aquí
  on entre par ici

  se dice que los precios en España son muy bajos
  on dit que les prix sont très bas en Espagne

  se les considera como grandes autores
  on les considère comme de grands auteurs

  Dans les tournures avec se, le pronom complément masculin est toujours le, les et non lo, los.

- Si le complément d'objet est un nom de chose ou un nom de personne indéterminé, on emploie se + accord du verbe :

  aquí se alquilan coches
  ici on loue des voitures

  se buscan personas competentes
  on recherche des personnes compétentes

c) *L'emploi de la troisième personne du pluriel*

  Cette tournure s'applique aux cas où le sujet est indéfini (= "quelqu'un") ou s'il s'agit d'une collectivité sous-entendue par le contexte :

  le atacaron en la calle
  on l'a attaqué dans la rue

  en esas sociedades le dan mucha importancia a la familia
  dans ces sociétés on attache beaucoup d'importance à la famille

  L'emploi de la troisième personne du pluriel intervient également dans certaines locutions toutes faites telles que dicen que... (*on dit que...*), cuentan que... (*on raconte que...*), etc. :

  cuentan que se van a divorciar
  on raconte qu'ils vont divorcer

  Notez que "on dit que", "on raconte que", etc., peuvent également se traduire par la forme réfléchie : se dice que..., se cuenta que...

d) *L'emploi de* uno

On emploie obligatoirement uno si le verbe lui-même est à la forme réfléchie :

a la larga uno se acostumbra a todo
à la longue, on s'habitue à tout

En dehors de cet usage, l'emploi de uno est limité à un petit nombre de cas, dont celui où "on" représente la première personne du singulier :

uno no puede menos de reírse
on ne peut pas s'empêcher de rire

Notez que si la personne qui parle est une femme, le pronom doit s'accorder :

¡una no puede estar tranquila aquí!
on ne peut pas être tranquille ici !

e) *L'emploi de* la gente

Il s'applique aux phrases où "on" représente une collectivité, par opposition à un sujet singulier. C'est notamment le cas des verbes pronominaux à sens réciproque :

la gente muchas veces se ayuda en tiempos de guerra
on s'entraide souvent en temps de guerre

f) *L'emploi de la première personne du pluriel*

Lorsque "on" est l'équivalent, en français populaire, de "nous", on doit utiliser en espagnol la première personne du pluriel :

¿vamos al cine?
on va au cinéma ?

3 Les pronoms compléments d'objet

a) *Les pronoms compléments d'objet direct et indirect*

En espagnol écrit et parlé, même si le complément d'objet indirect est explicitement exprimé, on le renforce presque toujours en ajoutant le pronom complément d'objet indirect de la troisième personne (le, les, se) :

le di el libro a mi amigo
j'ai donné le livre à mon ami

él se lo dio a su hermano
il l'a donné à son frère

b) Le *et* lo *en tant que pronoms compléments d'objet direct*

En principe, on emploie lo en tant que complément d'objet direct masculin, que le complément soit une personne ou une chose :

¿ves a mi hermano? – sí, sí, lo veo
est-ce que tu vois mon frère ? – oui, oui, je le vois

¿has visto este cuadro de Picasso? – sí, lo he visto
tu as vu ce tableau de Picasso ? – oui, je l'ai vu

Cependant, en espagnol parlé, et quelquefois aussi en espagnol écrit, le est souvent employé à la place de lo pour parler des personnes. Ce phénomène s'appelle leísmo :

¿ves a mi hermano? – sí, sí, le veo
est-ce que tu vois mon frère ? – oui, oui, je le vois

Au pluriel, en revanche, los prédomine même quand il s'agit de personnes :

llamó a sus amigos y los invitó a comer
il a appelé ses amis et les a invités à manger

Inversement, pour le vouvoiement, ce sont les formes le et les qui prédominent :

a ustedes les llamaré mañana
je vous appellerai demain

c) *Le pronom neutre* lo

Le pronom neutre lo ne fait jamais référence à une personne ou à une chose identifiable. Il s'emploie notamment pour reprendre un membre de la phrase cité précédemment :

¿sabes que ha llegado Juan? – sí, ya lo sé
sais-tu que Juan est arrivé ? – oui (je le sais)

Ce que vous savez, c'est que "Juan est arrivé". Lo est souvent traduit par "le" en français :

tú mismo me lo dijiste
tu me l'as dit toi-même

Lo peut aussi être employé après les verbes ser et estar. Dans ce cas, il se rapporte généralement au dernier adjectif, bien que dans le cas de ser il puisse se rapporter à un nom.

Souvenez-vous que lo est toujours invariable, quels que soient le genre et le nombre de l'adjectif ou du nom auquel il se rapporte :

ellos están cansados, y nosotros lo estamos también
ils sont fatigués, et nous aussi

Lo se rapporte ici à cansados.

su padre es médico, y el mío lo es también
son père est médecin et le mien (l'est) aussi

Lo se rapporte ici au nom médico.

d) *Les pronoms précédés d'une préposition*

¿este dinero es para mí? – no, es para ellos
est-ce que cet argent est pour moi ? – non, il est pour eux

Ces pronoms s'emploient aussi avec la préposition a pour mettre en valeur les pronoms compléments d'objet direct ou indirect exprimés dans la même phrase :

me dio el libro a mí, no a ti
c'est à moi qu'il a donné le livre, pas à toi

te veo a ti, pero no la veo a ella
je te vois, toi, mais je ne la vois pas, elle

Cette mise en relief peut être encore accentuée en plaçant le pronom devant le verbe :

a mí no me gusta nada
moi, je n'aime pas du tout ça

4 **La traduction des pronoms français "en" et "y"**

Il n'y a pas d'équivalent direct de ces pronoms en espagnol. La traduction varie selon le contexte, et parfois on ne les traduit simplement pas.

a) *Le pronom "en"*

Quand "en" est employé avec les nombres, on ne le traduit pas :

tengo diez
j'en ai dix

Dans la plupart des autres cas, on peut traduire "en" par une préposition (souvent de) + eso, ou une préposition (souvent de) + le pronom à la forme qui convient (él, ella, ellos, ellas) pour faire référence à quelque chose de spécifique (voir page 83) :

ya me habló de eso
il m'en a déjà parlé

soñé con eso la noche pasada
j'en ai rêvé la nuit dernière

no le gustan los perros, tiene miedo de ellos
elle n'aime pas les chiens, elle en a peur

S'il fait référence à des quantités indéfinies, "en" peut se traduire par exemple par un poco quand il représente un nom singulier, par algunos/algunas quand il représente un nom pluriel et par ninguno/ninguna lorsque la phrase est négative :

¿tienes leche? ¿me das un poco?
tu as du lait ? tu veux bien m'en donner ?

he comprado naranjas, ¿quieres algunas?
j'ai acheté des oranges, tu en veux ?

no te puedo dar sellos, no tengo ninguno
je ne peux pas te donner de timbres, je n'en ai pas

Enfin, lorsque "en" représente un lieu, il se traduit en espagnol par de + un adverbe de lieu (le plus souvent allí ou allá, parfois aquí) :

¿París? sí, justamente vengo de allí
Paris ? oui, justement j'en viens

b) *Le pronom "y"*

Quand il fait référence au lieu, "y" se traduit normalement par allí ou allá (qui signifient "là") ou, moins fréquemment, par aquí (qui signifie "ici") :

¿vas a París? – voy allí la semana que viene
est-ce que tu vas à Paris ? – j'y vais la semaine prochaine

Quand il fait référence à une chose spécifique, "y" se traduit par la préposition qui convient + él/ella/ellos/ellas. Si la préposition en question est a, on emploie souvent le(s) au lieu de a + pronom. Voir pages 136-7 et 139-41 pour l'emploi des prépositions selon le verbe.

¿estás pensando en los exámenes? – sí, pienso mucho en ellos
tu penses aux examens ? – oui, j'y pense souvent

si el café es demasiado amargo, añádele un poco de azúcar
si le café est trop amer, ajoutes-y un peu de sucre

Dans de nombreux cas, il n'y a pas de traduction possible :

no pude resistir
je n'ai pas pu y résister

¿vas a la fiesta de Guadalupe? – sí, voy
tu vas à la soirée de Guadalupe ? – oui, j'y vais

8 LA POSSESSION

A LES ADJECTIFS ET LES PRONOMS POSSESSIFS : FORMES

1 Les adjectifs possessifs placés avant le nom (formes atones)

	MASCULIN SINGULIER	FÉMININ SINGULIER	MASCULIN PLURIEL	FÉMININ PLURIEL
1ère singulier	mi	mi	mis	mis
2ème singulier	tu	tu	tus	tus
3ème singulier	su	su	sus	sus
1ère pluriel	nuestro	nuestra	nuestros	nuestras
2ème pluriel	vuestro	vuestra	vuestros	vuestras
3ème pluriel	su	su	sus	sus

mi cuchillo
mon couteau

mis cuchillos
mes couteaux

tu pañuelo
ton mouchoir

tus pañuelos
tes mouchoirs

su saco
son/votre sac

sus sacos
ses/vos sacs

nuestro piso
notre appartement

nuestros pisos
nos appartements

mi cuchara
ma cuiller

mis cucharas
mes cuillers

tu chaqueta
ta veste

tus chaquetas
tes vestes

su maleta
sa/votre valise

sus maletas
ses/vos valises

nuestra casa
notre maison

nuestras casas
nos maisons

vuestro sombrero *votre chapeau*	vuestra camisa *votre chemise*
vuestros sombreros *vos chapeaux*	vuestras camisas *vos chemises*
su saco *leur/votre sac*	su maleta *leur/votre valise*
sus sacos *leurs/vos sacs*	sus maletas *leurs/vos valises*

2 Les adjectifs possessifs placés après le nom (formes accentuées) et les pronoms possessifs

Les adjectifs possessifs placés après le nom et les pronoms possessifs sont identiques quant à leur forme, mais les pronoms prennent l'article défini (voir aussi B 3) :

	MASCULIN SINGULIER	FÉMININ SINGULIER	MASCULIN PLURIEL	FÉMININ PLURIEL
1ère singulier	(el) mío	(la) mía	(los) míos	(las) mías
2ème singulier	(el) tuyo	(la) tuya	(los) tuyos	(las) tuyas
3ème singulier	(el) suyo	(la) suya	(los) suyos	(las) suyas
1ère pluriel	(el) nuestro	(la) nuestra	(los) nuestros	(las) nuestras
2ème pluriel	(el) vuestro	(la) vuestra	(los) vuestros	(las) vuestras
3ème pluriel	(el) suyo	(la) suya	(los) suyos	(las) suyas

B LES ADJECTIFS ET LES PRONOMS POSSESSIFS : EMPLOI

1 Les adjectifs possessifs placés avant le nom (formes atones)

Les adjectifs possessifs placés avant le nom sont de loin les plus courants.

Comme tous les autres adjectifs, ils s'accordent en genre et en nombre avec le nom qu'ils décrivent :

¿dónde están nuestras maletas?
où sont nos valises ?

Nuestras est au féminin pluriel parce que maletas est un nom féminin au pluriel.

2 Les adjectifs possessifs placés après le nom (formes accentuées)

En espagnol moderne, les formes accentuées de l'adjectif possessif sont, sauf dans de rares exceptions, réservées aux formes du discours direct ou servent à exprimer l'idée de "un de mes...", "un de tes...", etc. :

esto no es posible, amigo mío
ce n'est pas possible, mon ami

unos amigos míos vinieron a verme
des amis à moi sont venus me voir

3 Les pronoms possessifs

Les pronoms possessifs prennent l'article défini sauf s'ils sont employés avec le verbe ser :

¿quieres el mío?
tu veux le mien ?

su casa es mucho más grande que la mía
sa maison est beaucoup plus grande que la mienne

esta radio no es tuya, es nuestra
cette radio n'est pas à toi, elle est à nous

4 Les cas pouvant prêter à confusion

Dans certains cas, l'emploi de la forme su et du pronom suyo peut prêter à confusion. Ces formes peuvent signifier "son", "sa", "leur", "votre", "le sien", "le leur", "le vôtre", etc. Dans la plupart des cas, le contexte indique clairement le sens. Cependant, s'il existe un risque de confusion, on peut remplacer su et suyo par l'une des formes suivantes :

son, sa, à lui, le/la sien(ne)	de él
son, sa, à elle, le/la sien(ne)	de ella
votre, vos, le(s) vôtre(s) (singulier)	de Vd.
leur, le/la leur	de ellos, de ellas
votre, vos, le(s) vôtre(s) (pluriel)	de Vds.

María no ha perdido su propia maleta, ha perdido la de ellos
María n'a pas perdu sa propre valise, elle a perdu la leur

¿es de ella este coche?
est-ce que cette voiture est à elle ?

C L'EXPRESSION DE LA POSSESSION EN GÉNÉRAL

1 L'emploi de de

C'est la manière la plus courante d'exprimer la possession :

el amigo de mi padre
l'ami de mon père

De + el devient del :

el primo del amigo del profesor
le cousin de l'ami du professeur

2 La traduction de "à qui...?"

"À qui...?" se traduit en espagnol par ¿de quién...? quand il y a un seul possesseur et par ¿de quiénes...? quand il y a plus d'un possesseur :

¿de quién es este lápiz?
à qui est ce crayon ?

¿de quiénes es este coche?
à qui est cette voiture ? (le locuteur sait ou suppose qu'il y a plusieurs propriétaires)

3 La traduction de "dont"

"Dont" se traduit en espagnol par l'adjectif cuyo qui, comme tout adjectif, s'accorde avec le nom auquel il se rapporte (et non pas avec le possesseur) :

el hombre cuya ventana rompieron está furioso
l'homme dont ils ont cassé la fenêtre est furieux

Cuya s'accorde ici avec ventana et non avec hombre.

la mujer cuyos hijos se fueron
la femme dont les enfants sont partis

4 Le verbe pertenecer

La possession d'objets peut être exprimée par l'emploi du verbe pertenecer (*appartenir*). Cette tournure correspond cependant à un niveau de langue plutôt soutenu ; elle est beaucoup moins courante que l'emploi de de :

¿a quién pertenece esto? – pertenece al profesor
à qui est/appartient ceci ? – c'est au professeur

Le sens le plus courant de pertenecer est "appartenir" dans le sens de "être membre de" :

pertenece al partido socialista
il appartient au parti socialiste

5 **Les parties du corps et les vêtements**

En espagnol, lorsqu'ils sont compléments d'objet, les vêtements, comme les parties du corps, sont précédés de l'article défini, et non pas de l'adjectif possessif. Le possesseur est souvent indiqué par le pronom complément d'objet indirect :

se puso el sombrero
elle a mis son chapeau

se quitó el abrigo
il a enlevé son manteau

su madre le lavó la cara
sa mère lui a lavé le visage

se quemó la mano
elle s'est brûlé la main

9 LES DÉMONSTRATIFS

A LES ADJECTIFS DÉMONSTRATIFS

1 Formes

Les adjectifs démonstratifs en espagnol sont este (qui se traduit par "ce/cet...-ci"), ese et aquel (qui se traduisent tous deux par "ce/cet...-là").

	MASCULIN	FÉMININ
singulier	este	esta
pluriel	estos	estas
singulier	ese	esa
pluriel	esos	esas
singulier	aquel	aquella
pluriel	aquellos	aquellas

este mes	ese sillón	aquella bicicleta
ce mois-ci	*ce fauteuil-là*	*cette bicyclette-là*

2 Emploi

a) *Dans l'espace*

Este fait référence à une chose qui se trouve près du locuteur.

Ese fait référence à une chose qui se trouve près de la personne à laquelle le locuteur s'adresse.

Aquel fait référence à une chose qui est éloignée à la fois du locuteur et de la personne à laquelle il s'adresse.

tomo esta caja
je prends cette boîte (celle que j'ai à la main, celle que je montre du doigt, etc.)

¿me das ese libro?
tu me donnes ce livre ? (celui qui se trouve près de toi)

aquellas flores son muy hermosas
ces fleurs sont très belles (celles qui sont là-bas)

b) *Dans le temps*

On emploie este si le nom fait référence au présent :

esta semana fuimos a la playa
nous sommes allés à la plage cette semaine (qui n'est pas encore terminée)

On emploie ese et aquel pour faire référence au passé. Il y a peu de différence entre ces deux adjectifs, mais aquel peut désigner une époque plus reculée :

en esa época no se permitían los partidos políticos
à cette époque-là, les partis politiques étaient interdits

en aquella época la población de Madrid era de sólo un millón de personas
en ce temps-là, la population de Madrid n'était que d'un million d'habitants

c) *Nuance affective*

Ese peut s'employer de façon méprisante :

ese tío es un sinvergüenza
ce type est une crapule

Les trois formes de l'adjectif peuvent également indiquer le mépris si elles sont placées après le nom :

el vídeo este no vale nada
ce magnétoscope ne vaut rien

la película esa era malísima
ce film était nul

la muchacha aquella que armó un escándalo
la fille qui a fait un scandale

B LES PRONOMS DÉMONSTRATIFS

1 Formes

Les pronoms démonstratifs sont semblables aux adjectifs démonstratifs, à l'exception du fait qu'ils prennent en principe un accent écrit sur la voyelle accentuée pour les distinguer des adjectifs. Toutefois, la tendance actuelle consiste à ne mettre d'accents ni aux adjectifs ni aux pronoms.

éste, éstos, ésta, éstas

ése, ésos, ésa, ésas

aquél, aquéllos, aquélla, aquéllas

Il existe aussi une forme neutre, qui ne prend pas d'accent écrit puisqu'il n'y a aucun risque de confusion :

esto, eso, aquello

2 Emploi

a) *Espace et temps*

Les pronoms démonstratifs marquent la notion de lieu et de temps de la même façon que les adjectifs démonstratifs :

este chico es más alto que ése
ce garçon-ci est plus grand que celui-là

esa falda no está mal, pero prefiero aquélla
cette jupe n'est pas mal, mais je préfère celle-là (là-bas)

b) *Nuance affective*

De même que pour l'adjectif ese, les formes du pronom ése peuvent servir à marquer le mépris :

¡ésa es una imbécil!
c'est une imbécile celle-là !

c) Aquél... éste

Aquél et éste peuvent servir à traduire "le premier... le/ce dernier" ou "celui-là... celui-ci" :

hay empleos entretenidos y empleos aburridos, de aquéllos hay menos que de éstos
il y a des emplois intéressants et des emplois ennuyeux, les premiers étant moins fréquents que ces derniers

d) *Le pronom neutre*

On emploie les pronoms démonstratifs neutres esto, eso et aquello pour parler d'un objet inconnu, d'une situation, d'une idée :

¿qué es eso que tienes en la mano?
qu'est-ce que c'est que ça dans ta main ?

aquello de Rosa es muy extraño
cette histoire qui arrive à Rosa est très bizarre

convendría subir los impuestos ; esto va a resultar muy difícil
il faudrait augmenter les impôts ; cela va être très difficile

e) *Traduction de "celui qui", "celui de"*

Ces démonstratifs français ne se traduisent pas par des démonstratifs en espagnol, mais par l'article défini suivi de que ou de
selon le cas :

los que piensan eso se equivocan
ceux qui pensent cela ont tort

¿prefieres el coche de Luis o el de Paco?
tu préfères la voiture de Luis ou celle de Paco ?

El se contracte de la même façon que lorsqu'il est employé
comme simple article défini : a + el devient al et de + el devient
del :

tu vestido es diferente del de Rosa
ta robe est différente de celle de Rosa

prefiero el coche de Luis al de Paco
je préfère la voiture de Luis à celle de Paco

10 LES MOTS INTERROGATIFS

Remarque :

Avant toute chose, n'oubliez pas que les mots interrogatifs portent toujours un accent écrit qui les distingue de leurs équivalents non interrogatifs. Ceci est vrai dans les interrogations directes (¿cuándo te vas?) mais aussi dans les interrogations indirectes (no sé cuándo me voy a ir).

A LES ADJECTIFS INTERROGATIFS

1 ¿Qué...?

Qué employé en tant qu'adjectif interrogatif est invariable :

¿qué libro te gusta más?
quel livre est-ce que tu préfères ?

le pregunté qué películas había visto últimamente
je lui ai demandé quels films il avait vus ces derniers temps

2 ¿Cuánto...?, ¿cuánta...?, ¿cuántos...?, ¿cuántas...?

¿cuánto dinero vais a necesitar?
de combien d'argent aurez-vous besoin ?

¿cuántos años tienes?
quel âge as-tu ?

B LES PRONOMS INTERROGATIFS

1 ¿Qué...?

L'espagnol ne fait pas la différence qui existe en français entre "qu'est-ce que..." (complément) et "qu'est-ce qui..." (sujet). Tous deux sont rendus par qué :

¿qué vas a tomar?
qu'est-ce que tu vas prendre ?/que vas-tu prendre ?

¿qué pasa?
qu'est-ce qui se passe ?/que se passe-t-il ?

Dans une proposition dépendant d'un verbe tel que decir, preguntar ou saber, qué peut être remplacé par lo que :

no sé qué ha pasado/no sé lo que ha pasado
je ne sais pas ce qui s'est passé

2 ¿Quién...?

C'est l'équivalent de "qui... ?" :

¿quién es esa chica?
qui est cette fille ?

¿con quién estabas hablando?
à qui parlais-tu ?

3 ¿Cuál...?

Cuál est un pronom interrogatif qui s'emploie lorsqu'il y a un choix possible. Si le nom est exprimé, cuál doit être suivi de de :

¿cuál te gustó más?
lequel est-ce que tu as le plus aimé ?

¿cuál de estos coches prefieres?
laquelle de ces voitures est-ce que tu préfères ?

no sé cuáles elegir
je ne sais pas lesquelles choisir

C LES ADVERBES INTERROGATIFS

1 La cause et le but : ¿por qué...? et ¿para qué...?

Tandis que le français n'emploie qu'un seul mot (pourquoi... ?) pour exprimer la cause et le but, l'espagnol, lui, fait la différence :

¿por qué te marchaste tan temprano?
pourquoi es-tu parti si tôt ? (= pour quelle raison)

¿para qué te tomas tanta molestia?
pourquoi te donnes-tu tant de mal ? (= dans quel but)

2 La manière : ¿cómo...?

¿cómo estás hoy?
comment vas-tu aujourd'hui ?

no sé cómo se abre esto
je ne sais pas comment ça s'ouvre

La langue parlée emploie aussi ¿qué tal...? à la place de ¿cómo...?
pour s'enquérir de l'état de quelqu'un ou de quelque chose, ou de
l'opinion de quelqu'un sur quelque chose :

¡hola! ¿qué tal (estás)?   ¿qué tal la película?
bonjour ! comment ça va ?   *comment tu as trouvé le film ?*

3 Le lieu : ¿dónde...? et ¿adónde...?

Le premier s'emploie lorsqu'il n'y a pas d'idée de mouvement, le
second avec un verbe de mouvement :

¿dónde vives?   no sabemos adónde ir ahora
où vis-tu ?   *nous ne savons pas où aller*
                                             maintenant

4 Le temps : ¿cuándo...? et les questions avec ¿qué...?

¿cuándo llegasteis?   ¿qué día te vas?
quand êtes-vous arrivés ?   *quel jour est-ce que tu pars ?*

¿a qué hora empieza la función?
à quelle heure commence la séance ?

5 La quantité : ¿cuánto...?

¿cuánto cuesta esto?   ¿cuánto tardaste en terminar?
combien coûte ceci ?   *il t'a fallu combien de temps*
                                             pour finir ?

11 LES PRONOMS RELATIFS

A FORMES

1 Les pronoms relatifs simples

a) Que *(qui/que)*

Que fait référence aux personnes ou aux choses, que celles-ci soient au singulier ou au pluriel. Notez qu'il est invariable.

Que peut avoir la fonction de sujet ("qui" en français) ou de complément d'objet direct ("que" en français). Voir les exemples en B 1.

b) Quien/quienes *(qui/que, celui qui/que, etc., lequel, etc.)*

Quien (singulier) et quienes (pluriel) font uniquement référence aux personnes et sont généralement employés après une préposition.

2 Les pronoms relatifs composés

Les pronoms relatifs composés ont des formes distinctes pour le masculin singulier et le masculin pluriel, le féminin singulier et le féminin pluriel. Ils ont aussi une forme neutre.

a) El que *(qui/que, lequel, etc., celui qui/que, etc.)*

	MASCULIN	FÉMININ	NEUTRE
singulier	el que	la que	lo que
pluriel	los que	las que	

b) El cual *(qui/que, lequel, etc., celui qui/que, etc.)*

	MASCULIN	FÉMININ	NEUTRE
singulier	el cual	la cual	lo cual
pluriel	los cuales	las cuales	

B EMPLOI

1 Le pronom relatif que

los hombres que están charlando son españoles
les hommes qui sont en train de bavarder sont espagnols

¿viste la película que pusieron ayer?
tu as vu le film qu'ils ont passé hier ?

Comme le montrent ces deux exemples, en espagnol on ne fait pas la distinction qui existe en français entre "qui" et "que". Tous deux se traduisent par que.

2 Le pronom relatif cuyo

Pour son accord, voir page 79.

la pareja cuyos hijos viven en América
le couple dont les enfants vivent en Amérique

una ciudad cuya catedral es famosa
une ville dont la cathédrale est célèbre

3 Après une préposition

a) *Si l'antécédent est une personne*

En règle générale, que n'est pas utilisé si l'antécédent est une personne. Il est généralement remplacé par quien (ou son pluriel quienes), bien que, selon les cas, la forme el/la que (pluriel : los/las que) ou el/la cual (pluriel : los/las cuales) soit aussi parfois utilisée :

el hombre con quien/con el que hablaba es mi tío
l'homme auquel je parlais est mon oncle

los turistas a quienes/a los que vendí mi coche
les touristes à qui j'ai vendu ma voiture

Notez que le a qui introduit le complément de personne d'un verbe transitif fait partie des prépositions qui réclament l'emploi de quien (ou de el que, la que, etc.) à la place de que :

la chica a quien/a la que mirabas antes
la fille que tu regardais tout à l'heure

b) *Si l'antécédent est une chose*

- Si le pronom relatif est précédé d'une préposition composée (c'est-à-dire comprenant plus d'un mot), une des formes composées du pronom relatif doit être utilisée. Vous devez choisir la forme de el que ou el cual qui s'accorde en genre et en nombre avec l'antécédent :

la casa detrás de la cual se encuentra el lago
la maison derrière laquelle se trouve le lac

el árbol debajo del cual nos besamos por primera vez
l'arbre sous lequel nous nous sommes embrassés pour la première fois

Puisque les formes el que et el cual sont en fait des formes de l'article défini suivi de que ou cual, on effectue les contractions habituelles (voir page 21) :

el edificio delante del cual esperábamos
le bâtiment devant lequel nous attendions

el problema frente al que nos encontramos
le problème auquel nous sommes confrontés

- Après les prépositions simples de, en, con, etc., on peut utiliser que ou el que*, quoique dans un niveau de langue plus soutenu on préfère souvent les formes composées :

la casa en que vivimos es muy vieja
la maison dans laquelle nous habitons est très vieille

Comparez avec :

la casa en la cual vivimos es muy vieja

*En règle générale, que s'emploie lorsque l'antécédent est déjà accompagné de l'article défini, et el que, la que, etc., lorsqu'il n'y a pas d'article défini :

era una época en la que la agricultura tenía mucha importancia
c'était une époque où l'agriculture avait une grande importance

- Les formes composées el que, la que, etc., et el cual, la cual, etc., sont souvent en concurrence après des prépositions indiquant une localisation dans l'espace ou dans le temps, qu'il s'agisse de prépositions simples ou composées : sobre, detrás de, bajo, contra, etc. :

el techo sobre el que/el cual pusieron una chimenea
le toit sur lequel ils ont mis une cheminée

4 Lo que, lo cual

Si l'antécédent ne fait pas référence à une chose ou des choses concrètes mais à une situation ou à une idée, les formes neutres lo que ou lo cual doivent être utilisées. L'une ou l'autre peuvent s'employer indifféremment lorsqu'elles servent à rappeler quelque chose qui précède, mais seul lo que peut traduire "ce qui" ou "ce que" sans antécédent :

no sé lo que pasó
je ne sais pas ce qui s'est passé

En espagnol, on ne fait pas la distinction qui existe en français entre "ce qui" et "ce que". Tous deux se traduisent par lo que ou lo cual.

Juan insistió en acompañarnos, lo cual no me gustó nada
Juan a insisté pour venir avec nous, ce qui ne m'a pas du tout plu

María se negó a hacerlo, lo que no entiendo
María a refusé de le faire, ce que je ne comprends pas

5 Lorsque l'antécédent est indéfini ou négatif

L'antécédent d'un pronom relatif est indéfini si le nom que l'on décrit fait référence à quelque chose (objet/personne/idée) dont l'existence n'est pas certaine.

L'antécédent est négatif si le nom que l'on décrit fait référence à quelque chose qui n'existe pas.

Dans les deux cas, le verbe de la proposition relative doit être au subjonctif.

En ce qui concerne la construction du subjonctif, voir pages 111-14. Utilisez le présent ou l'imparfait du subjonctif selon le contexte.

a) *Les antécédents indéfinis*

busco a alguien que pueda hacer esto
je cherche quelqu'un qui puisse faire ceci

Cette personne peut ne pas exister. Vous pouvez ne pas la trouver. Comparez ce dernier exemple avec busco a un hombre que habla español, où l'utilisation de l'indicatif habla indique que vous connaissez un homme qui parle espagnol, mais que vous ne le trouvez simplement pas en ce moment.

los que no quieran participar pueden irse ahora
ceux qui ne souhaitent pas participer peuvent partir maintenant

On ne peut pas savoir combien de personnes ne souhaiteront pas participer. En fait, il est possible que tout le monde souhaite participer.

Cette construction est fréquemment employée avec les propositions relatives qui font référence au futur :

los que no lleguen a tiempo no podrán entrar
ceux qui n'arriveront pas à temps ne pourront pas entrer

Bien sûr, il est possible que tout le monde arrive à temps.

Dans un langage soutenu, quien est utilisé seul en tant que pronom relatif indéfini signifiant "quelqu'un", "quiconque" :

busco quien me ayude
je cherche quelqu'un pour m'aider (ou qui puisse m'aider)

quien diga eso no entiende nada
quiconque dit cela ne comprend rien

b) *Les antécédents négatifs*

no hay nadie que sepa hacerlo
il n'y a personne qui sache le faire

no tengo libro que te valga
je n'ai pas de livre qui puisse t'être utile

no conozco ningún país donde permitan eso
je ne connais pas de pays où cela soit permis

12 LES ADJECTIFS ET LES PRONOMS INDÉFINIS

A LES ADJECTIFS INDÉFINIS : FORMES

1 Principaux adjectifs indéfinis

alguno/alguna	*quelconque, un/une*
algunos/algunas	*certains/certaines*
ambos/ambas	*les deux*
bastante(s)	*assez de*
cada	*chaque*
cada uno/una	*chacun/chacune*
cierto/cierta	*un certain/une certaine*
ciertos/ciertas	*certains/certaines*
cualquiera	*n'importe quel/quelle,*
	tout/toute
demasiado(s)/demasiada(s)	*trop de*
mismo/misma	*même, lui-même/elle-même*
mucho(s)/mucha(s)	*beaucoup de*
ninguno/ninguna	*aucun/aucune*
otro(s)/otra(s)	*un/une autre, d'autres*
pocos/pocas	*peu de*
tal(es)	*tel(s)/telle(s)*
tanto(s)/tanta(s)	*tant de*
todo(s)/toda(s)	*tout/toute, tous/toutes*
unos/unas	*quelques*
varios/varias	*plusieurs*

tengo **bastante** trabajo
j'ai assez de travail

tuvimos **ciertas** dificultades
*nous avons eu certaines diffi-
cultés*

2 L'apocope de l'adjectif

Certains adjectifs indéfinis perdent leur -o immédiatement avant un nom masculin singulier :

alguno	¿hay algún autobús por aquí? *est-ce qu'il y a un autobus par ici ?*
ninguno	no veo ningún tren *je ne vois aucun train*

Notez que ningún et algún doivent prendre un accent écrit lorsque l'on fait ainsi l'apocope.

Cualquiera devient cualquier devant les noms singuliers qu'ils soient masculins ou féminins :

cualquier libro *n'importe quel livre*	cualquier casa *n'importe quelle maison*

B LES PRONOMS INDÉFINIS : FORMES

algo	*quelque chose*
alguien	*quelqu'un*
alguno	*quelqu'un*
algunos/algunas	*quelques-uns/quelques-unes*
ambos/ambas	*les deux*
bastantes	*assez*
ciertos/ciertas	*certains/certaines*
cualquiera	*n'importe qui, quiconque*
muchos/muchas	*beaucoup*
nada	*rien*
nadie	*personne*
ninguno/ninguna	*aucun/aucune*
otro(s)/otra(s)	*un/une autre, d'autres*
pocos/pocas	*peu (d'entre eux/elles, etc.)*
tantos/tantas	*tant, autant*
todos/todas	*tous/toutes*
uno/una	*un/une, on*
varios/varias	*plusieurs*

¿quieres más caramelos? – no, gracias, tengo bastantes
tu veux encore des bonbons ? – non, merci, j'en ai assez

no sé cuál elegir, me gustan ambas
je ne sais pas laquelle choisir, les deux me plaisent

C LES ADJECTIFS INDÉFINIS : EMPLOI

1 Alguno

Au singulier, l'adjectif alguno signifie "quelconque" lorsqu'il fait partie d'une phrase affirmative ; il se place alors avant le nom :

compró el libro en alguna librería
il a acheté le livre dans une librairie quelconque

Placé après le nom dans une phrase négative ou après sin, alguno signifie "aucun" :

no siente remordimiento alguno   lo hizo sin dificultad alguna
il n'a aucun remords   *elle l'a fait sans aucune difficulté*

Au pluriel, il signifie simplement "quelques". Dans ce cas, il peut être remplacé, sans changer le sens de la phrase, par la forme appropriée de unos/unas :

vinieron algunos/unos hombres y se pusieron a trabajar
quelques hommes sont venus et se sont mis au travail

2 Cualquier(a)

Notez qu'il n'y a qu'une seule forme du singulier – cualquier – et qu'une seule forme du pluriel – cualesquiera, d'un emploi très rare par ailleurs :

puedes utilizar cualquier máquina
tu peux utiliser n'importe quelle machine

cualquier mecánico puede hacerlo
n'importe quel mécanicien peut le faire

Cualquiera peut se placer après le nom, auquel cas il ne s'apocope pas :

ven una tarde cualquiera
viens n'importe quelle après-midi

3 Mismo

Outre les emplois similaires au français (par exemple lleva el mismo vestido que yo), mismo peut correspondre au pronom "lui-même"/"elle-même"/"eux-mêmes"/"elles-mêmes" :

me entrevisté con la misma presidente
j'ai eu un entretien avec la présidente elle-même/en personne

 Otro

Otro/otra/otros/otras s'emploient toujours sans article indéfini :

¿quieres otro trozo de pastel?
tu veux un autre morceau de gâteau ?

ya encontrarás otras cosas que hacer
tu trouveras bien d'autres choses à faire

Lorsque **otro** est accompagné d'un nombre ou d'une quantité, il est toujours placé devant, contrairement au français :

dame otras dos manzanas
donne-moi deux autres pommes

conocemos otros muchos casos
nous connaissons beaucoup d'autres cas

5 **Todo**

Todo et **toda** peuvent prendre une valeur adverbiale lorsqu'ils précèdent un adjectif qualificatif ou un participe :

la hierba está toda mojada
l'herbe est toute mouillée

D LES PRONOMS INDÉFINIS : EMPLOI

1 **Algo**

Algo n'est jamais suivi de **de** lorsqu'il traduit la tournure française "quelque chose de" + adjectif :

acabo de ver algo muy raro
je viens de voir quelque chose de très étrange

Algo peut également prendre une valeur adverbiale ; il se traduit alors par "un peu" :

es una chica algo tímida
c'est une fille un peu timide

deberías trabajar algo más
tu devrais travailler un peu plus

2 Alguno

Employé comme pronom, alguno a le même sens que alguien, mais il est plus déterminé :

esto lo podría hacer alguno de ellos
l'un d'entre eux pourrait le faire

3 Cualquiera

Employé comme pronom, il exprime la même idée que "n'importe lequel/laquelle/lesquels/lesquelles". Dans ce cas, la forme du singulier est toujours cualquiera et la forme du pluriel cualesquiera :

¿cuál de los libros quieres? – cualquiera
quel livre veux-tu ? – n'importe lequel

¿qué falda vas a comprar? – cualquiera
quelle jupe est-ce que tu vas acheter ? – n'importe laquelle

¿qué flores quieres? – cualesquiera
quelles fleurs est-ce que tu veux ? – n'importe lesquelles

4 Mismo

Lo mismo signifie "la même chose" ; il fait souvent partie d'une comparaison avec que ou de :

¿quieres lo mismo otra vez?
tu veux encore la même chose ?

es lo mismo de siempre
c'est toujours la même chose

tomaré lo mismo que tú
je prendrai la même chose que toi

Après un adverbe de temps ou de lieu, mismo a une valeur emphatique :

os espero aquí mismo
je vous attends ici même

¡para ahora mismo!
arrête tout de suite !

5 Nada

Nada n'est jamais suivi de de lorsqu'il traduit la tournure française "rien de" + adjectif :

no tengo nada interesante que contarle
je n'ai rien d'intéressant à vous raconter

Nada peut également prendre une valeur adverbiale ; il se traduit alors par "pas du tout" :

no es nada simpática   la película no está nada mal
elle n'est pas du tout sympathique   *le film n'est pas mal du tout*

6 Todo

Lorsque todo est complément d'objet direct, le verbe doit être précédé de lo :

se lo comió todo   léelo todo
il a tout mangé   *lis tout*

7 Uno

En fonction de sujet, uno/una peut traduire "on" :

a la larga uno se acostumbra a todo
à la longue, on s'habitue à tout

13 LES VERBES

A LES DIFFÉRENTES CATÉGORIES DE VERBES : LES CONJUGAISONS

Il existe trois conjugaisons pour les verbes en espagnol. L'infinitif d'un verbe indique la conjugaison à laquelle il appartient :

- tous les verbes se terminant en -ar appartiennent à la première conjugaison

- tous les verbes se terminant en -er appartiennent à la deuxième conjugaison

- tous les verbes se terminant en -ir appartiennent à la troisième conjugaison

Certains verbes sont irréguliers, d'autres présentent de petites exceptions. On traitera de ces verbes séparément.

L'espagnol possède de nombreux verbes dont la voyelle du radical (voir ci-dessous), quand elle est accentuée, subit certaines modifications. Pourtant, les terminaisons de ces verbes demeurent parfaitement normales. Il sera question de ces verbes pages 115-23.

Tous les verbes d'origine très récente sont automatiquement classés dans la première conjugaison et adoptent ses terminaisons et ses formes, par exemple : informatizar (*informatiser*).

B LA FORMATION DES TEMPS

1 Les temps simples

Les temps peuvent être soit simples, c'est-à-dire comprenant un seul mot, soit composés, lorsqu'un auxiliaire est employé avec un participe du verbe principal.

a) *Le présent*

On obtient le radical pour le présent du verbe en supprimant les terminaisons -ar, -er ou -ir de l'infinitif. Le présent est alors formé en ajoutant les terminaisons suivantes au radical :

1ère conjugaison :	-o, -as, -a, -amos, -áis, -an	
2ème conjugaison :	-o, -es, -e, -emos, éis, -en	
3ème conjugaison :	-o, -es, -e, -imos, -ís, -en	
cant-ar (*chanter*)	beb-er (*boire*)	recib-ir (*recevoir*)
canto	bebo	recibo
cantas	bebes	recibes
canta	bebe	recibe
cantamos	bebemos	recibimos
cantáis	bebéis	recibís
cantan	beben	reciben

- *Irrégularités du présent*

  Voir pages 129-30 et 132-3 pour ser et estar et les verbes irréguliers dar et ir. Voir pages 115-23 pour les verbes dont le radical change.

- *Verbes de la première conjugaison se terminant par -iar et -uar*

  La plupart de ces verbes prennent l'accent tonique et aussi un accent écrit sur le i ou le u final du radical à toutes les personnes sauf la première et la deuxième personne du pluriel :

enviar (*envoyer*)	continuar (*continuer*)
envío	continúo
envías	continúas
envía	continúa
enviamos	continuamos
enviáis	continuáis
envían	continúan

  Les exceptions les plus courantes sont les verbes cambiar (cambio, cambias, etc.) et averiguar (averiguo, averiguas, etc.).

- *Verbes de la deuxième conjugaison se terminant par -ecer*

  La terminaison de la première personne du singulier est -ezco. Toutes les autres formes sont régulières :

  parecer (*paraître, sembler*)   parezco, pareces...
  crecer (*grandir, pousser*)   crezco, creces...

- *Verbes de la troisième conjugaison se terminant en -uir et le verbe oír*

  On ajoute un y au radical de ces verbes à moins que le radical ne soit suivi d'un i accentué, c'est-à-dire à toutes les personnes sauf à la première et la deuxième personne du pluriel. Remarquez que la première personne du singulier de oír est aussi irrégulière :

construir (*construire*)	oír (*entendre*)
construyo	oigo
construyes	oyes
construye	oye
construimos	oímos
construís	oís
construyen	oyen

- *Verbes de la troisième conjugaison se terminant par -ucir*

  La terminaison de la première personne du singulier est -uzco. Toutes les autres formes sont régulières :

conducir (*conduire*)	conduzco, conduces...
producir (*produire*)	produzco, produces...

- *Verbes de la deuxième et de la troisième conjugaison dont le radical se termine par un c ou un g*

  Ces verbes changent leur c en z et leur g en j à la première personne du singulier. Toutes les autres formes sont régulières :

vencer (*vaincre*)	venzo, vences...
esparcir (*répandre*)	esparzo, esparces...
escoger (*choisir*)	escojo, escoges...
rugir (*rugir*)	rujo, ruges...

- *Verbes de la troisième conjugaison dont le radical se termine par qu ou gu*

  Ces verbes changent leur qu en c et le gu en g à la première personne du singulier. Toutes les autres formes sont régulières :

delinquir (*commettre un délit*)	delinco, delinques...
distinguir (*distinguer*)	distingo, distingues...

- *Verbes de la troisième conjugaison dont l'infinitif se termine en -güir*

  Ces verbes perdent leur tréma, sauf à la première et à la deuxième personne du pluriel :

argüir (*déduire, arguer*)	arguyo, arguyes, arguye, argüimos, argüís, arguyen

● *Verbes dont la première personne du singulier est irrégulière*

Les verbes suivants présentent à la première personne du singulier des irrégularités souvent imprévisibles :

caber	*tenir dans*	quepo
caer	*tomber*	caigo
conocer	*savoir*	conozco
dar	*donner*	doy
decir	*dire*	digo
estar	*être*	estoy
hacer	*faire*	hago
ir	*aller*	voy
oír	*entendre*	oigo
poner	*mettre*	pongo
saber	*savoir*	sé
salir	*sortir, partir*	salgo
ser	*être*	soy
tener	*avoir*	tengo
traer	*apporter*	traigo
valer	*valoir*	valgo
venir	*venir*	vengo

Toutes les formes composées de ces verbes ont les mêmes irrégularités.

| contradecir | *contredire* | contradigo |
| obtener | *obtenir* | obtengo |

Notez que satisfacer se comporte comme hacer sur lequel il est construit :

| satisfacer | *satisfaire* | satisfago |

b) *Le futur*

On forme le futur des verbes de toutes les conjugaisons en ajoutant les terminaisons suivantes à l'infinitif du verbe, quelle que soit la conjugaison à laquelle il appartient :

1ère, 2ème & 3ème conjugaisons :	-é, -ás, -á, -emos, -éis, -án	
cantaré	beberé	recibiré
cantarás	beberás	recibirás
cantará	beberá	recibirá
cantaremos	beberemos	recibiremos
cantaréis	beberéis	recibiréis
cantarán	beberán	recibirán

- *Irrégularités du futur*

  Pour un certain nombre de verbes, on ajoute les terminaisons du futur à un radical irrégulier :

caber	*tenir dans*	cabré
decir	*dire*	diré
haber	*avoir*	habré
hacer	*faire*	haré
poder	*pouvoir*	podré
poner	*mettre*	pondré
querer	*vouloir*	querré
saber	*savoir*	sabré
salir	*sortir, partir*	saldré
tener	*avoir*	tendré
valer	*valoir*	valdré
venir	*venir*	vendré

Ici encore, tous les composés de ces verbes présentent les mêmes irrégularités :

deshacer	*défaire*	desharé
convenir	*convenir/tomber d'accord*	convendré

c) *L'imparfait*

On forme l'imparfait en ajoutant les terminaisons suivantes au radical de l'infinitif :

1ère conjugaison :	-aba, -abas, -aba, -ábamos, -abais, -aban
2ème & 3ème conjugaisons :	-ía, -ías, -ía, -íamos, -íais, -ían

cantaba	bebía	recibía
cantabas	bebías	recibías
cantaba	bebía	recibía
cantábamos	bebíamos	recibíamos
cantabais	bebíais	recibíais
cantaban	bebían	recibían

● *Irrégularités de l'imparfait*

Il n'y a que trois verbes irréguliers à l'imparfait en espagnol :

ser (*être*)	ir (*aller*)	ver (*voir*)
era	iba	veía
eras	ibas	veías
era	iba	veía
éramos	íbamos	veíamos
erais	ibais	veíais
eran	iban	veían

d) *Le passé simple*

On forme le passé simple en ajoutant les terminaisons suivantes au radical de l'infinitif :

1ère conjugaison :	-é, -aste, -ó, -amos, -asteis, -aron
2ème & 3ème conjugaisons :	-í, -iste, -ió, -imos, -isteis, -ieron

canté	bebí	recibí
cantaste	bebiste	recibiste
cantó	bebió	recibió
cantamos	bebimos	recibimos
cantasteis	bebisteis	recibisteis
cantaron	bebieron	recibieron

● *Irrégularités du passé simple*

- Le passé simple dit pretérito grave

Ce groupe comprend un nombre relativement important de verbes appartenant principalement à la deuxième et à la troisième conjugaison, qui ont des radicaux irréguliers et qui prennent les terminaisons suivantes :

-e, -iste, -o, -imos, -isteis, -ieron

Remarquez en particulier que les terminaisons de la première et de la troisième personne du singulier ne sont pas accentuées (le terme grave dans pretérito grave signifie "accentué sur l'avant-dernière syllabe").

Si le radical se termine lui-même par un j, la terminaison de la troisième personne du pluriel est raccourcie et devient -eron.

andar	anduve, anduviste, anduvo, anduvimos, anduvisteis, anduvieron
caber	cupe, cupiste, cupo, cupimos, cupisteis, cupieron
decir	dije, dijiste, dijo, dijimos, dijisteis, dijeron
estar	estuve, estuviste, estuvo, estuvimos, estuvisteis, estuvieron
haber	hube, hubiste, hubo, hubimos, hubisteis, hubieron
hacer	hice, hiciste, hizo, hicimos, hicisteis, hicieron
poder	pude, pudiste, pudo, pudimos, pudisteis, pudieron
poner	puse, pusiste, puso, pusimos, pusisteis, pusieron
querer	quise, quisiste, quiso, quisimos, quisisteis, quisieron
saber	supe, supiste, supo, supimos, supisteis, supieron
tener	tuve, tuviste, tuvo, tuvimos, tuvisteis, tuvieron
traer	traje, trajiste, trajo, trajimos, trajisteis, trajeron
venir	vine, viniste, vino, vinimos, vinisteis, vinieron

Tous les composés de ces verbes présentent les mêmes irrégularités :

contraer (*contracter*)   contraje...
componer (*composer*)   compuse...

Ce groupe compte aussi tous les verbes se terminant en -ucir, sauf lucir qui est régulier. Leur radical se termine en -uj :

producir   produje, produjiste, produjo, produjimos, produjisteis, produjeron

- Autres verbes

Les verbes suivants sont également irréguliers :

dar (*donner*)	di, diste, dio, dimos, disteis, dieron
ir (*aller*)	fui, fuiste, fue, fuimos, fuisteis, fueron
ser (*être*)	fui, fuiste, fue, fuimos, fuisteis, fueron
ver (*voir*)	vi, viste, vio, vimos, visteis, vieron

Comme on peut le constater, les formes du passé simple de ir et ser sont identiques. Cependant, le contexte permet toujours de savoir de quel verbe il s'agit.

- Modifications orthographiques

Les verbes de la première conjugaison dont le radical se termine par un c ou un g modifient ces radicaux, qui deviennent qu ou gu à la première personne du singulier du prétérit. Toutes les autres formes sont régulières :

explicar (*expliquer*)	expliqué, explicaste...
llegar (*arriver*)	llegué, llegaste...

Ces verbes suivent en cela les règles de l'orthographe espagnole.

Pour les verbes se terminant par -aer, -eer, -oer et -uir, le i de la terminaison aux troisièmes personnes du singulier et du pluriel devient y. Toutes les autres formes sont régulières :

caer (*tomber*)	cayó	cayeron
construir (*construire*)	construyó	construyeron
leer (*lire*)	leyó	leyeron
roer (*ronger*)	royó	royeron

Oír appartient aussi à cette catégorie :

oír (*entendre*)	oyó	oyeron

Les verbes de la troisième conjugaison se terminant en -güir perdent leur tréma aux troisièmes personnes du singulier et du pluriel :

argüir	argüí, argüiste, arguyó, argüimos, argüisteis, arguyeron

Les verbes de la deuxième et de la troisième conjugaison dont le radical se termine par ñ perdent le i des terminaisons des troisièmes personnes du singulier et du pluriel :

gruñir (*grogner*)	gruñó	gruñeron
tañer (*jouer de*)	tañó	tañeron

e) *Le conditionnel*

On forme le conditionnel pour toutes les conjugaisons en ajoutant les terminaisons suivantes à l'infinitif du verbe :

1ère, 2ème & 3ème conjugaisons :	ía, -ías, -ía, -íamos, -íais, -ían	
cantaría	bebería	recibiría
cantarías	beberías	recibirías
cantaría	bebería	recibiría
cantaríamos	beberíamos	recibiríamos
cantaríais	beberíais	recibiríais
cantarían	beberían	recibirían

● *Les irrégularités du conditionnel*

Tout verbe ayant un radical irrégulier au futur conserve le même radical pour la formation du conditionnel (voir page 103). Par exemple :

infinitif	*futur*	*conditionnel*
hacer	haré	haría
venir	vendré	vendría

2 Les temps composés

On forme les temps composés en employant un verbe auxiliaire avec soit le participe présent, soit le participe passé.

a) *Le participe présent*

● *Les formes régulières*

On forme le participe présent en ajoutant les terminaisons suivantes au radical de l'infinitif :

1ère conjugaison :	-ando
2ème & 3ème conjugaisons :	-iendo
hablar	hablando
comer	comiendo
salir	saliendo

● *Les formes irrégulières*

Dans les verbes se terminant en -aer, -eer, -oer et -uir, ainsi que le verbe oír, le i de la terminaison se transforme en y :

caer	cayendo
construir	construyendo
creer	creyendo
oír	oyendo
roer	royendo

Les verbes se terminant par -güir perdent leur tréma au participe présent :

argüir	arguyendo

Les verbes de la deuxième et de la troisième conjugaison dont le radical se termine par ñ perdent le i de la terminaison :

gruñir	gruñendo
tañer	tañendo

Les verbes de la troisième conjugaison dont le radical change et qui appartiennent aux groupes c), d) et e) des pages 119-23 ont aussi des participes présents irréguliers :

dormir	durmiendo
pedir	pidiendo
sentir	sintiendo

b) *Le participe passé*

● *Les formes régulières*

On forme le participe passé d'un verbe régulier en supprimant la terminaison de l'infinitif et en ajoutant au radical ainsi obtenu :

1ère conjugaison :	-ado	cantado
2ème & 3ème conjugaisons :	-ido	bebido, recibido

● *Les formes irrégulières*

Certains verbes ont des formes irrégulières au participe passé. Voici les plus couramment employés :

abrir	*ouvrir*	abierto	*ouvert*
cubrir	*couvrir*	cubierto	*couvert*
decir	*dire*	dicho	*dit*
escribir	*écrire*	escrito	*écrit*
hacer	*faire*	hecho	*fait*
morir	*mourir*	muerto	*mort*
poner	*mettre*	puesto	*mis*
resolver	*résoudre*	resuelto	*résolu*
ver	*voir*	visto	*vu*
volver	*retourner*	vuelto	*retourné*

Les verbes composés à partir de ces verbes présentent les mêmes irrégularités dans leurs formes du participe passé, par exemple :

descubrir	*découvrir*	descubierto	*découvert*
describir	*décrire*	descrito	*décrit*

Le verbe satisfacer se comporte comme un verbe composé formé sur hacer :

satisfacer	*satisfaire*	satisfecho	*satisfait*

c) *L'aspect progressif des temps*

On peut mettre n'importe quel temps à la forme progressive en utilisant estar (ou dans certains cas ir, venir, seguir, continuar, andar) avec le participe présent. Voir page 130 la conjugaison complète de estar :

estamos trabajando
nous sommes en train de travailler

yo estaba estudiando cuando Juan entró
j'étais en train d'étudier lorsque Juan est entré

Les formes progressives sont traitées intégralement pages 144-5.

d) *Le passé composé*

Les temps composés du passé se construisent à l'aide de l'auxiliaire haber au temps qui convient, suivi du participe passé du verbe principal. La conjugaison complète de haber est donnée page 131.

Le passé composé se construit à l'aide du présent du verbe haber
et du participe passé du verbe principal :

he cantado	he bebido	he recibido
has cantado	has bebido	has recibido
ha cantado	ha bebido	ha recibido
hemos cantado	hemos bebido	hemos recibido
habéis cantado	habéis bebido	habéis recibido
han cantado	han bebido	han recibido

e) *Le plus-que-parfait*

Le plus-que-parfait se construit à l'aide de l'imparfait de haber et
du participe passé du verbe principal :

había cantado	había bebido	había recibido
habías cantado	habías bebido	habías recibido
había cantado	había bebido	había recibido
habíamos cantado	habíamos bebido	habíamos recibido
habíais cantado	habíais bebido	habíais recibido
habían cantado	habían bebido	habían recibido

f) *Le futur antérieur*

Le futur antérieur se construit à l'aide du futur de haber et du
participe passé du verbe principal :

habré cantado	habré bebido	habré recibido
habrás cantado	habrás bebido	habrás recibido
habrá cantado	habrá bebido	habrá recibido
habremos cantado	habremos bebido	habremos recibido
habréis cantado	habréis bebido	habréis recibido
habrán cantado	habrán bebido	habrán recibido

g) *Le passé antérieur*

Le passé antérieur se construit à l'aide du passé simple de haber
et du participe passé du verbe principal :

hube cantado	hube bebido	hube recibido
hubiste cantado	hubiste bebido	hubiste recibido
hubo cantado	hubo bebido	hubo recibido
hubimos cantado	hubimos bebido	hubimos recibido
hubisteis cantado	hubisteis bebido	hubisteis recibido
hubieron cantado	hubieron bebido	hubieron recibido

h) *Le conditionnel passé*

Le conditionnel passé se construit à l'aide du conditionnel de haber et du participe passé du verbe principal :

habría cantado	habría bebido	habría recibido
habrías cantado	habrías bebido	habrías recibido
habría cantado	habría bebido	habría recibido
habríamos cantado	habríamos bebido	habríamos recibido
habríais cantado	habríais bebido	habríais recibido
habrían cantado	habrían bebido	habrían recibido

3 Les temps du mode subjonctif

a) *Le subjonctif présent*

À l'exception de quelques verbes irréguliers (estar, ser, ir, dar), le radical pour le présent du subjonctif s'obtient en supprimant le o de la terminaison à la première personne du singulier du présent. Le subjonctif se forme alors en ajoutant les terminaisons suivantes à ce radical :

1ère conjugaison :	-e, -es, -e, -emos, -éis, -en	
2ème & 3ème conjugaisons :	-a, -as, -a, -amos, -áis, -an	
cant-o	beb-o	recib-o
cante	beba	reciba
cantes	bebas	recibas
cante	beba	reciba
cantemos	bebamos	recibamos
cantéis	bebáis	recibáis
canten	beban	reciban

Pour les verbes dont le radical change, voir pages 115-23.

● *Les verbes en -iar et -uar (voir page 100)*

Ces verbes suivent le même modèle au subjonctif qu'à l'indicatif en ce qui concerne l'accentuation, c'est-à-dire que le i et le u du radical prennent un accent à toutes les personnes, sauf à la première et à la deuxième personne du pluriel :

enviar	envíe, envíes, envíe, enviemos, enviéis, envíen
continuar	continúe, continúes, continúe, continuemos, continuéis, continúen

● *Les radicaux irréguliers*

Le radical du subjonctif étant obtenu à partir de la première personne du singulier du présent de l'indicatif, toute irrégularité apparaissant à cette personne apparaîtra à toutes les personnes du présent du subjonctif.

Par exemple :

infinitif	1ère pers. présent	subjonctif
decir	digo	diga, digas, diga, digamos, digáis, digan
coger	cojo	coja, cojas, coja, cojamos, cojáis, cojan
parecer	parezco	parezca, parezcas, parezca, parezcamos, parezcáis, parezcan
poner	pongo	ponga, pongas, ponga, pongamos, pongáis, pongan
vencer	venzo	venza, venzas, venza, venzamos, venzáis, venzan

● *Modifications orthographiques*

Pour les verbes de la première conjugaison dont le radical se termine par c ou g, le c devient qu et le g devient gu à toutes les personnes du présent du subjonctif :

buscar	busque, busques, busque, busquemos, busquéis, busquen
llegar	llegue, llegues, llegue, lleguemos, lleguéis, lleguen

Les verbes de la première conjugaison se terminant par -guar prennent un tréma sur le u à toutes les personnes du présent du subjonctif :

averiguar	averigüe, averigües, averigüe, averigüemos, averigüéis, averigüen

b) *L'imparfait du subjonctif*

Le radical pour l'imparfait du subjonctif s'obtient en supprimant la terminaison -ron à la troisième personne du pluriel du passé simple. L'imparfait du subjonctif présente deux formes possibles, construites en ajoutant les terminaisons suivantes à ce radical :

1ère conjugaison :	-ara, -aras, -ara, -áramos, -arais, -aran
	ou
	-ase, -ases, -ase, -ásemos, -aseis, -asen
2ème & 3ème conjugaisons :	-iera, -ieras, -iera, -iéramos, -ierais, -ieran
	ou
	-iese, -ieses, -iese, -iésemos, -ieseis, -iesen

cantara/cantase	bebiera/bebiese	recibiera/recibiese
cantaras/cantases	bebieras/bebieses	recibieras/recibieses
cantara/cantase	bebiera/bebiese	recibiera/recibiese
cantáramos/cantá-semos	bebiéramos/bebié-semos	recibiéramos/recibié-semos
cantarais/cantaseis	bebierais/bebieseis	recibierais/recibieseis
cantaran/cantasen	bebieran/bebiesen	recibieran/recibiesen

La première de ces deux formes est la plus courante à l'oral.

Les verbes qui sont irréguliers au passé simple présentent la même irrégularité à l'imparfait du subjonctif. Par exemple :

infinitif	*passé simple*	*imparfait du subjonctif*
decir	dijeron	dijera/dijese
tener	tuvieron	tuviera/tuviese
venir	vinieron	viniera/vinies

Les verbes composés à partir de ces verbes présentent les mêmes irrégularités :

convenir	conviniera/conviniese
obtener	obtuviera/obtuviese

c) *Le passé composé du subjonctif*

Le passé composé du subjonctif se forme à l'aide du subjonctif présent de haber et du participe passé du verbe principal :

haya cantado	haya bebido	haya recibido
hayas cantado	hayas bebido	hayas recibido
haya cantado	haya bebido	haya recibido
hayamos cantado	hayamos bebido	hayamos recibido
hayáis cantado	hayáis bebido	hayáis recibido
hayan cantado	hayan bebido	hayan recibido

d) *Le plus-que-parfait du subjonctif*

Le plus-que-parfait du subjonctif se construit à l'aide de l'imparfait du subjonctif de **haber** et du participe passé du verbe principal. Il y a deux formes possibles puisque l'imparfait du subjonctif présente lui-même deux formes :

hubiera cantado	hubiera bebido	hubiera recibido
hubieras cantado	hubieras bebido	hubieras recibido
hubiera cantado	hubiera bebido	hubiera recibido
hubiéramos cantado	hubiéramos bebido	hubiéramos recibido
hubierais cantado	hubierais bebido	hubierais recibido
hubieran cantado	hubieran bebido	hubieran recibido
hubiese cantado	hubiese bebido	hubiese recibido
hubieses cantado	hubieses bebido	hubieses recibido
hubiese cantado	hubiese bebido	hubiese recibido
hubiésemos cantado	hubiésemos bebido	hubiésemos recibido
hubieseis cantado	hubieseis bebido	hubieseis recibido
hubiesen cantado	hubiesen bebido	hubiesen recibido

4 L'impératif

L'impératif proprement dit n'existe que pour les formes du verbe correspondant aux pronoms **tú** et **vosotros** et n'est utilisé que pour donner des ordres positifs. Il est formé de la façon suivante :

tú pour les trois conjugaisons, supprimez le **-s** de la terminaison à la deuxième personne du singulier du présent de l'indicatif.

vosotros pour les trois conjugaisons, supprimez le **-r** de l'infinitif et remplacez-le par **-d**.

hablar	habla	hablad
comer	come	comed
escribir	escribe	escribid

Remarquez que, la forme correspondant à **tú** étant formée à partir de la deuxième personne du singulier du verbe, toute modification du radical sera aussi présente à la forme du singulier de l'impératif, mais pas à celle du pluriel :

cerrar	cierra	cerrad
torcer	tuerce	torced
pedir	pide	pedid

Il existe un certain nombre de verbes irréguliers à la forme de l'impératif correspondant au pronom **tú** :

decir	di	decid
hacer	haz	haced
ir	ve	id
poner	pon	poned
salir	sal	salid
ser	sé	sed
tener	ten	tened
valer	val	valed
venir	ven	venid

Les ordres adressés aux autres personnes (**Vd.**, **Vds.**), les ordres à la troisième personne et à la première personne du pluriel, ainsi que tous les ordres négatifs, sont donnés au **subjonctif**. Voir pages 111 et 157.

5 Les verbes dont le radical change

Le radical de certains verbes subit des modifications orthographiques lorsqu'il est accentué. Les terminaisons ne changent pas, à moins que le verbe soit lui-même irrégulier.

a) *Le e devient* ie *(première et deuxième conjugaisons uniquement)*

Les verbes les plus courants parmi ceux-ci sont les suivants :

acertar	*deviner juste*
alentar	*encourager*
apretar	*serrer, appuyer sur*
ascender	*monter, s'élever*
atender	*s'occuper de*
aterrar	*terrifier*
atravesar	*traverser*
calentar	*chauffer, faire chauffer*

cerrar	*fermer*
comenzar	*commencer*
concertar	*s'entendre sur, convenir*
condescender	*condescendre*
confesar	*confesser, avouer*
defender	*défendre*
desalentar	*décourager*
desatender	*ne pas prêter attention à, négliger*
descender	*descendre*
desconcertar	*déconcerter*
despertar	*réveiller*
desplegar	*déplier, déployer*
empezar	*commencer*
encender	*allumer*
encerrar	*enfermer, contenir, renfermer*
encomendar	*recommander, charger, confier*
entender	*comprendre*
enterrar	*enterrer, ensevelir*
extender	*étendre*
fregar	*frotter, récurer*
gobernar	*gouverner*
helar	*geler, glacer*
manifestar	*manifester, montrer, témoigner*
merendar	*goûter, prendre son goûter*
negar	*nier, démentir*
nevar	*neiger*
pensar	*penser*
perder	*perdre, manquer*
quebrar	*casser, briser, rompre*
recomendar	*recommander*
regar	*irriguer*
reventar	*crever, éclater*
sembrar	*semer*
sentarse	*s'asseoir*
sosegar	*calmer, apaiser*
temblar	*trembler*
tender	*tendre, étendre*
tener*	*avoir*
tentar	*tenter, tâter*
tropezar	*trébucher, buter*
verter	*verser, renverser*

La modification a lieu au présent de l'indicatif et du subjonctif seulement, là où le e est accentué, c'est-à-dire aux trois personnes du singulier et à la troisième personne du pluriel :

présent de l'indicatif	présent du subjonctif
atravieso	atraviese
atraviesas	atravieses
atraviesa	atraviese
atravesamos	atravesemos
atravesáis	atraveséis
atraviesan	atraviesen

Notez que si le e est la première lettre du verbe, il devient ye et non pas ie :

errar *(errer)*   yerro, yerras, yerra, erramos, erráis, yerran

*Tener est irrégulier à la première personne du singulier : tengo

Le subjonctif de tener est formé à partir de cette première personne du singulier, tengo :

tenga, tengas, tenga, tengamos, tengáis, tengan

b) *Le -o ou le -u deviennent -ue (première et deuxième conjugaisons uniquement)*

Les verbes les plus courants de ce groupe sont les suivants :

absolver	*absoudre*
acordarse	*se souvenir*
acostarse	*se coucher, aller au lit*
almorzar	*déjeuner*
apostar	*parier*
aprobar	*approuver*
avergonzarse	*avoir honte*
cocer	*cuire*
colarse	*se glisser*
colgar	*pendre, suspendre*
comprobar	*vérifier, contrôler*
concordar	*concorder*
conmover	*émouvoir, toucher*
consolar	*consoler*
contar	*compter, raconter*
costar	*coûter*
demostrar	*démontrer*
desaprobar	*désapprouver*
descolgar	*décrocher, enlever*
descontar	*déduire*
desenvolverse	*se débrouiller*
despoblar	*dépeupler*

devolver	*rendre, restituer*
disolver	*dissoudre*
doler	*faire mal*
encontrar	*rencontrer, trouver*
envolver	*envelopper*
esforzarse	*s'efforcer*
forzar	*forcer*
holgar	*ne rien faire*
jugar	*jouer*
llover	*pleuvoir*
moler	*moudre*
morder	*mordre*
mostrar	*montrer*
mover	*remuer, mouvoir*
oler*	*sentir, flairer*
probar	*essayer, goûter*
promover	*promouvoir*
recordar	*se souvenir*
renovar	*renouveler*
resollar	*respirer bruyamment*
resolver	*résoudre*
resonar	*résonner*
rodar	*roder*
rogar	*prier (quelqu'un de faire quelque chose)*
soldar	*souder*
soler	*avoir l'habitude de*
soltar	*lâcher*
sonar	*sonner, tinter*
soñar	*rêver*
torcer	*tordre, tourner*
tostar	*griller*
trocar	*troquer, échanger*
tronar	*tonner*
volar	*voler (dans l'air)*
volcar	*renverser*
volver	*revenir, retourner*

Le changement s'opère sur le même modèle que le groupe a) mentionné ci-dessus :

présent de l'indicatif	présent du subjonctif
vuelvo	vuelva
vuelves	vuelvas
vuelve	vuelva
volvemos	volvamos
volvéis	volváis
vuelven	vuelvan

*Oler : on ajoute h à toutes les formes lorsque la modification a lieu : huele, etc.

c) *Le e se change en ie et en i (troisième conjugaison uniquement)*

Les verbes les plus courants appartenant à ce groupe sont les suivants :

adherir	*adhérer (à un parti, etc.)*
adquirir*	*acquérir*
advertir	*remarquer, prévenir*
arrepentirse	*se repentir*
asentir	*acquiescer*
conferir	*conférer, attribuer*
consentir	*consentir*
convertir	*changer, transformer*
digerir	*digérer*
discernir	*discerner*
divertir	*divertir, amuser*
erguir**	*lever, dresser, redresser*
herir	*blesser*
hervir	*bouillir*
inferir	*déduire*
inquirir*	*s'enquérir de*
invertir	*investir*
mentir	*mentir*
pervertir	*pervertir*
preferir	*préférer*
presentir	*pressentir*
proferir	*proférer, prononcer*
referirse	*se référer*
requerir	*requérir, avoir besoin de*
resentirse	*en vouloir (à quelqu'un)*
sentir	*sentir*
subvertir	*corrompre*
sugerir	*suggérer*
transferir	*transférer*
venir***	*venir*

Au présent de l'indicatif, au présent du subjonctif et à la forme du singulier de l'impératif, le e, lorsqu'il est accentué, devient ie.

Lorsqu'il n'est pas accentué, le e devient i dans les cas suivants :

- à la première et à la deuxième personne du pluriel du subjonctif présent
- au participe présent
- aux troisièmes personnes du singulier et du pluriel du passé simple
- à toutes les personnes de l'imparfait du subjonctif

présent	passé simple
siento	sentí
sientes	sentiste
siente	sintió
sentimos	sentimos
sentís	sentisteis
sienten	sintieron
présent du subjonctif	**imparfait du subjonctif**
sienta	sintiera/sintiese
sientas	sintieras/sintieses
sienta	sintiera/sintiese
sintamos	sintiéramos/sintiésemos
sintáis	sintierais/sintieseis
sientan	sintieran/sintiesen
impératif	**participe présent**
siente	sintiendo

*Dans le cas de adquirir et de inquirir, c'est le i du radical qui devient ie.

**Lorsqu'il est accentué, le e de erguir devient ye et non pas ie :

yergo, yergues, yergue, erguimos, erguís, yerguen

***Venir a une première personne du singulier irrégulière : vengo

Le subjonctif de venir est construit à partir de cette première personne du singulier irrégulière :

venga, vengas, venga, vengamos, vengáis, vengan

d) *Le e se change en i (troisième conjugaison uniquement)*

Les verbes les plus courants appartenant à ce groupe sont les suivants :

colegir	*réunir, rassembler*
competir	*concourir, être en concurrence*
concebir	*concevoir*
conseguir	*arriver à, réussir à*
corregir	*corriger*
derretirse	*fondre*
despedir	*renvoyer*
elegir	*élire*
expedir	*expédier*
gemir	*gémir*
impedir	*empêcher*
medir	*mesurer*
pedir	*demander*
perseguir	*persécuter*
proseguir	*poursuivre, continuer*
regir	*régir*
rendir	*produire*
repetir	*répéter*
seguir	*suivre*
servir	*servir*
vestir	*habiller*

Lorsqu'il est accentué, le e se change en i au présent de l'indicatif, au présent du subjonctif, et à la forme du singulier de l'impératif.

Le e non accentué se change aussi en i lorsque l'accent est sur la terminaison (sauf sur un i) :

- à la première et à la deuxième personne du pluriel du subjonctif présent
- au participe présent
- aux troisièmes personnes du singulier et du pluriel du passé simple
- à toutes les personnes de l'imparfait du subjonctif

présent	*passé simple*
pido	pedí
pides	pediste
pide	pidió
pedimos	pedimos
pedís	pedisteis
piden	pidieron
présent du subjonctif	*imparfait du subjonctif*
pida	pidiera/pidiese
pidas	pidieras/pidieses
pida	pidiera/pidiese
pidamos	pidiéramos/pidiésemos
pidáis	pidierais/pidieseis
pidan	pidieran/pidiesen
impératif	*participe présent*
pide	pidiendo

Les verbes de ce groupe qui se terminent en -eír et -eñir subissent une modification supplémentaire : si la terminaison commence par un i non accentué, ce i tombe s'il suit immédiatement le ñ ou le i du radical. Ceci ne se produit qu'au participe présent, aux troisièmes personnes du singulier et du pluriel du passé simple et à l'imparfait du subjonctif.

Les verbes les plus courants appartenant à ce groupe sont les suivants :

ceñir	*serrer (vêtement)*
desteñir	*déteindre*
freír	*frire*
reír	*rire*
reñir	*réprimander*
sonreír	*sourire*
teñir	*teindre*

reír	**ceñir**
riendo	ciñendo
rio	ciñó
rieron	ciñeron

e) *Le o se change en* ue *et en* u *(troisième conjugaison uniquement)*

Les modifications se produisent sur le même modèle que dans le groupe c) ci-dessus, c'est-à-dire :

Lorsqu'il est accentué, le o se change en ue au présent de l'indicatif, au présent du subjonctif et à la forme du singulier de l'impératif.

Lorsqu'il n'est pas accentué, le o se change en u dans les cas suivants :

- à la première et à la deuxième personne du pluriel du subjonctif présent
- au participe présent
- aux troisièmes personnes du singulier et du pluriel du passé simple
- à toutes les personnes de l'imparfait du subjonctif

Les verbes les plus courants appartenant à ce groupe sont :

dormir	*dormir*
morir	*mourir*

présent	*passé simple*
duermo	dormí
duermes	dormiste
duerme	durmió
dormimos	dormimos
dormís	dormisteis
duermen	durmieron
présent du subjonctif	*imparfait du subjonctif*
duerma	durmiera/durmiese
duermas	durmieras/durmieses
duerma	durmiera/durmiese
durmamos	durmiéramos/durmiésemos
durmáis	durmierais/durmieseis
duerman	durmieran/durmiesen
impératif	*participe présent*
duerme	durmiendo

6 Les tableaux de conjugaison

Les verbes suivants fournissent les principaux modèles de conjugaison, y compris la conjugaison des verbes irréguliers les plus courants :

Verbes en -ar		hablar
Verbes en -er		comer
Verbes en -ir		vivir
Verbes réfléchis	(voir pages 162-4)	bañarse
Auxiliaires	(voir pages 172-7)	ser
	(voir pages 172-7)	estar
	(voir page 170) haber	
Verbes irréguliers très courants		dar
		ir
		tener
		venir

Dans les tableaux de conjugaison, les chiffres 1, 2, 3 indiquent les première, deuxième et troisième personnes des verbes au singulier et au pluriel. On trouvera d'abord les personnes du singulier suivies des personnes du pluriel.

Les irrégularités et les modifications orthographiques sont indiquées en orange.

HABLAR *parler*

	PRÉSENT	IMPARFAIT	FUTUR
1	hablo	hablaba	hablaré
2	hablas	hablabas	hablarás
3	habla	hablaba	hablará
1	hablamos	hablábamos	hablaremos
2	habláis	hablabais	hablaréis
3	hablan	hablaban	hablarán

	PASSÉ SIMPLE	PASSÉ COMPOSÉ	PLUS-QUE-PARFAIT
1	hablé	he hablado	había hablado
2	hablaste	has hablado	habías hablado
3	habló	ha hablado	había hablado
1	hablamos	hemos hablado	habíamos hablado
2	hablasteis	habéis hablado	habíais hablado
3	hablaron	han hablado	habían hablado

PASSÉ ANTÉRIEUR	FUTUR ANTÉRIEUR
hube hablado, etc	habré hablado, etc.

CONDITIONNEL

IMPÉRATIF

	PRÉSENT	PASSÉ	
1	hablaría	habría hablado	
2	hablarías	habrías hablado	(tú) habla
3	hablaría	habría hablado	(Vd) hable
1	hablaríamos	habríamos hablado	(nosotros) hablemos
2	hablaríais	habríais hablado	(vosotros) hablad
3	hablarían	habrían hablado	(Vds) hablen

SUBJONCTIF

	PRÉSENT	IMPARFAIT	PLUS-QUE-PARFAIT
1	hable	habl-ara/ase	hubiera hablado
2	hables	habl-aras/ases	hubieras hablado
3	hable	habl-ara/ase	hubiera hablado
1	hablemos	habl-áramos/ásemos	hubiéramos hablado
2	habléis	habl-arais/aseis	hubierais hablado
3	hablen	habl-aran/asen	hubieran hablado

PASSÉ COMPOSÉ
haya hablado, etc.

INFINITIF	*PARTICIPE*
PRÉSENT	PRÉSENT
hablar	hablando
PASSÉ	PASSÉ
haber hablado	hablado

COMER *manger*

	PRÉSENT	IMPARFAIT	FUTUR
1	como	comía	comeré
2	comes	comías	comerás
3	come	comía	comerá
1	comemos	comíamos	comeremos
2	coméis	comíais	comeréis
3	comen	comían	comerán

	PASSÉ SIMPLE	PASSÉ COMPOSÉ	PLUS-QUE-PARFAIT
1	comí	he comido	había comido
2	comiste	has comido	habías comido
3	comió	ha comido	había comido
1	comimos	hemos comido	habíamos comido
2	comisteis	habéis comido	habíais comido
3	comieron	han comido	habían comido

PASSÉ ANTÉRIEUR	FUTUR ANTÉRIEUR
hube comido, etc	habré comido, etc

CONDITIONNEL		*IMPÉRATIF*
PRÉSENT	PASSÉ	
1 comería	habría comido	
2 comerías	habrías comido	(tú) come
3 comería	habría comido	(Vd) coma
1 comeríamos	habríamos comido	(nosotros) comamos
2 comeríais	habríais comido	(vosotros) comed
3 comerían	habrían comido	(Vds) coman

SUBJONCTIF		
PRÉSENT	IMPARFAIT	PLUS-QUE-PARFAIT
1 coma	com-iera/iese	hubiera comido
2 comas	com-ieras/ieses	hubieras comido
3 coma	com-iera/iese	hubiera comido
1 comamos	com-iéramos/iésemos	hubiéramos comido
2 comáis	com-ierais/ieseis	hubierais comido
3 coman	com-ieran/iesen	hubieran comido

PASSÉ COMPOSÉ
haya comido, etc.

INFINITIF	*PARTICIPE*
PRÉSENT	PRÉSENT
comer	comiendo
PASSÉ	PASSÉ
haber comido	comido

VIVIR *vivre*

	PRÉSENT	IMPARFAIT	FUTUR
1	vivo	vivía	viviré
2	vives	vivías	vivirás
3	vive	vivía	vivirá
1	vivimos	vivíamos	viviremos
2	vivís	vivíais	viviréis
3	viven	vivían	vivirán

	PASSÉ SIMPLE	PASSÉ COMPOSÉ	PLUS-QUE-PARFAIT
1	viví	he vivido	había vivido
2	viviste	has vivido	habías vivido
3	vivío	ha vivido	había vivido
1	vivimos	hemos vivido	habíamos vivido
2	vivisteis	habéis vivido	habíais vivido
3	vivieron	han vivido	habían vivido

PASSÉ ANTÉRIEUR	FUTUR ANTÉRIEUR
hube vivido, etc.	habré vivido, etc.

	CONDITIONNEL		*IMPÉRATIF*
	PRÉSENT	PASSÉ	
1	viviría	habría vivido	
2	vivirías	habrías vivido	(tú) vive
3	viviría	habría vivido	(Vd) viva
1	viviríamos	habríamos vivido	(nosotros) vivamos
2	viviríais	habríais vivido	(vosotros) vivid
3	vivirían	habrían vivido	(Vds) vivan

	SUBJONCTIF		
	PRÉSENT	IMPARFAIT	PLUS-QUE-PARFAIT
1	viva	viv-iera/iese	hubiera vivido
2	vivas	viv-ieras/ieses	hubieras vivido
3	viva	viv-iera/iese	hubiera vivido
1	vivamos	viv-iéramos/iésemos	hubiéramos vivido
2	viváis	viv-ierais/ieseis	hubierais vivido
3	vivan	viv-ieran/iesen	hubieran vivido

PASSÉ COMPOSÉ
haya vivido, etc.

INFINITIF	*PARTICIPE*
PRÉSENT	PRÉSENT
vivir	viviendo
PASSÉ	PASSÉ
haber vivido	vivido

BAÑARSE *prendre un bain, se baigner*

	PRÉSENT	IMPARFAIT	FUTUR
1	me baño	me bañaba	me bañaré
2	te bañas	te bañabas	te bañarás
3	se baña	se bañaba	se bañará
1	nos bañamos	nos bañábamos	nos bañaremos
2	os bañáis	os bañabais	os bañaréis
3	se bañan	se bañaban	se bañarán

	PASSÉ SIMPLE	PASSÉ COMPOSÉ	PLUS-QUE-PARFAIT
1	me bañé	me he bañado	me había bañado
2	te bañaste	te has bañado	te habías bañado
3	se bañó	se ha bañado	se había bañado
1	nos bañamos	nos hemos bañado	nos habíamos bañado
2	os bañasteis	os habéis bañado	os habíais bañado
3	se bañaron	se han bañado	se habían bañado

PASSÉ ANTÉRIEUR	FUTUR ANTÉRIEUR
me hube bañado, etc.	me habré bañado, etc.

CONDITIONNEL

	PRÉSENT	PASSÉ	IMPÉRATIF
1	me bañaría	me habría bañado	
2	te bañarías	te habrías bañado	(tú) báñate
3	se bañaría	se habría bañado	(Vd) báñese
1	nos bañaríamos	nos habríamos bañado	(nosotros) bañámonos
2	os bañaríais	os habríais bañado	(vosotros) bañaos
3	se bañarían	se habrían bañado	(Vds) báñense

SUBJONCTIF

	PRÉSENT	IMPARFAIT	PLUS-QUE-PARFAIT
1	me bañe	me bañ-ara/ase	me hubiera bañado
2	te bañes	te bañ-aras/ases	te hubieras bañado
3	se bañe	se bañ-ara/ase	se hubiera bañado
1	nos bañemos	nos bañ-áramos/ásemos	nos hubiéramos bañado
2	os bañéis	os bañ-arais/aseis	os hubierais bañado
3	se bañen	se bañ-aran/asen	se hubieran bañado

PASSÉ COMPOSÉ
me haya bañado, etc.

INFINITIF	PARTICIPE
PRÉSENT	PRÉSENT
bañarse	bañándose
PASSÉ	PASSÉ
haberse bañado	bañado

SER *être*

	PRÉSENT	IMPARFAIT	FUTUR
1	soy	era	seré
2	eres	eras	serás
3	es	era	será
1	somos	éramos	seremos
2	sois	erais	seréis
3	son	eran	serán

	PASSÉ SIMPLE	PASSÉ COMPOSÉ	PLUS-QUE-PARFAIT
1	fui	he sido	había sido
2	fuiste	has sido	habías sido
3	fue	ha sido	había sido
1	fuimos	hemos sido	habíamos sido
2	fuisteis	habéis sido	habíais sido
3	fueron	han sido	habían sido

PASSÉ ANTÉRIEUR	FUTUR ANTÉRIEUR
hube sido, etc.	habré sido, etc.

	CONDITIONNEL		*IMPÉRATIF*
	PRÉSENT	PASSÉ	
1	sería	habría sido	
2	serías	habrías sido	(tú) sé
3	sería	habría sido	(Vd) sea
1	seríamos	habríamos sido	(nosotros) seamos
2	seríais	habríais sido	(vosotros) sed
3	serían	habrían sido	(Vds) sean

	SUBJONCTIF		
	PRÉSENT	IMPARFAIT	PLUS-QUE-PARFAIT
1	sea	fu-era/ese	hubiera sido
2	seas	fu-eras/eses	hubieras sido
3	sea	fu-era/ese	hubiera sido
1	seamos	fu-éramos/ésemos	hubiéramos sido
2	seáis	fu-erais/eseis	hubierais sido
3	sean	fu-eran/esen	hubieran sido

PASSÉ COMPOSÉ
haya sido, etc.

INFINITIF	*PARTICIPE*
PRÉSENT	PRÉSENT
ser	siendo
PASSÉ	PASSÉ
haber sido	sido

ESTAR *être*

	PRÉSENT	IMPARFAIT	FUTUR
1	estoy	estaba	estaré
2	estás	estabas	estarás
3	está	estaba	estará
1	estamos	estábamos	estaremos
2	estáis	estabais	estaréis
3	están	estaban	estarán

	PASSÉ SIMPLE	PASSÉ COMPOSÉ	PLUS-QUE-PARFAIT
1	estuve	he estado	había estado
2	estuviste	has estado	habías estado
3	estuvo	ha estado	había estado
1	estuvimos	hemos estado	habíamos estado
2	estuvisteis	habéis estado	habíais estado
3	estuvieron	han estado	habían estado

PASSÉ ANTÉRIEUR
hube estado, etc.

FUTUR ANTÉRIEUR
habré estado, etc.

CONDITIONNEL

	PRÉSENT	PASSÉ
1	estaría	habría estado
2	estarías	habrías estado
3	estaría	habría estado
1	estaríamos	habríamos estado
2	estaríais	habríais estado
3	estarían	habrían estado

IMPÉRATIF

(tú) está
(Vd) esté
(nosotros) estemos
(vosotros) estad
(Vds) estén

SUBJONCTIF

	PRÉSENT	IMPARFAIT	PLUS-QUE-PARFAIT
1	esté	estuv-iera/iese	hubiera estado
2	estés	estuv-ieras/ieses	hubieras estado
3	esté	estuv-iera/iese	hubiera estado
1	estemos	estuv-iéramos/iésemos	hubiéramos estado
2	estéis	estuv-ierais/ieseis	hubierais estado
3	estén	estuv-ieran/iesen	hubieran estado

PASSÉ COMPOSÉ
haya estado, etc.

INFINITIF	PARTICIPE
PRÉSENT	PRÉSENT
estar	estando
PASSÉ	PASSÉ
haber estado	estado

HABER *avoir (auxiliaire)*

	PRÉSENT	IMPARFAIT	FUTUR
1	he	había	habré
2	has	habías	habrás
3	ha/hay*	había	habrá
1	hemos	habíamos	habremos
2	habéis	habíais	habréis
3	han	habían	habrán

	PASSÉ SIMPLE	PASSÉ COMPOSÉ	PLUS-QUE-PARFAIT
1	hube		
2	hubiste		
3	hubo	ha habido	había habido
1	hubimos		
2	hubisteis		
3	hubieron		

PASSÉ ANTÉRIEUR	FUTUR ANTÉRIEUR
hubo habido, etc.	habrá habido, etc

	CONDITIONNEL		*IMPÉRATIF*
	PRÉSENT	PASSÉ	
1	habría		
2	habrías		
3	habría	habría habido	
1	habríamos		
2	habríais		
3	habrían		

	SUBJONCTIF		
	PRÉSENT	IMPARFAIT	PLUS-QUE-PARFAIT
1	haya	hub-iera/iese	
2	hayas	hub-ieras/ieses	
3	haya	hub-iera/iese	hubiera habido
1	hayamos	hub-iéramos/iésemos	
2	hayáis	hub-ierais/ieseis	
3	hayan	hub-ieran/iesen	

PASSÉ COMPOSÉ
haya habido, etc.

INFINITIF	*PARTICIPE*
PRÉSENT	PRÉSENT
haber	habiendo
PASSÉ	PASSÉ
haber habido	habido

N.B. : ce verbe est un auxiliaire utilisé pour former les temps composés. Par exemple, he bebido (= *j'ai bu*). Voir aussi TENER.

*hay = il y a

DAR *donner*

	PRÉSENT	IMPARFAIT	FUTUR
1	doy	daba	daré
2	das	dabas	darás
3	da	daba	dará
1	damos	dábamos	daremos
2	dais	dabais	daréis
3	dan	daban	darán

	PASSÉ SIMPLE	PASSÉ COMPOSÉ	PLUS-QUE-PARFAIT
1	di	he dado	había dado
2	diste	has dado	habías dado
3	dio	ha dado	había dado
1	dimos	hemos dado	habíamos dado
2	disteis	habéis dado	habíais dado
3	dieron	han dado	habían dado

PASSÉ ANTÉRIEUR	FUTUR ANTÉRIEUR
hube dado, etc.	habré dado, etc.

CONDITIONNEL

	PRÉSENT	PASSÉ	IMPÉRATIF
1	daría	habría dado	
2	darías	habrías dado	(tú) da
3	daría	habría dado	(Vd) dé
1	daríamos	habríamos dado	(nosotros) demos
2	daríais	habríais dado	(vosotros) dad
3	darían	habrían dado	(Vds) den

SUBJONCTIF

	PRÉSENT	IMPARFAIT	PLUS-QUE-PARFAIT
1	dé	di-era/ese	hubiera dado
2	des	di-eras/eses	hubieras dado
3	dé	di-era/ese	hubiera dado
1	demos	di-éramos/ésemos	hubiéramos dado
2	deis	di-erais/eseis	hubierais dado
3	den	di-eran/esen	hubieran dado

PASSÉ COMPOSÉ
haya dado, etc.

INFINITIF	PARTICIPE
PRÉSENT	PRÉSENT
dar	dando
PASSÉ	PASSÉ
haber dado	dado

IR *aller*

	PRÉSENT	IMPARFAIT	FUTUR
1	voy	iba	iré
2	vas	ibas	irás
3	va	iba	irá
1	vamos	íbamos	iremos
2	vais	ibais	iréis
3	van	iban	irán

	PASSÉ SIMPLE	PASSÉ COMPOSÉ	PLUS-QUE-PARFAIT
1	fui	he ido	había ido
2	fuiste	has ido	habías ido
3	fue	ha ido	había ido
1	fuimos	hemos ido	habíamos ido
2	fuisteis	habéis ido	habíais ido
3	fueron	han ido	habían ido

PASSÉ ANTÉRIEUR	FUTUR ANTÉRIEUR
hube ido, etc.	habré ido, etc.

	CONDITIONNEL		IMPÉRATIF
	PRÉSENT	PASSÉ	
1	iría	habría ido	
2	irías	habrías ido	(tú) ve
3	iría	habría ido	(Vd) vaya
1	iríamos	habríamos ido	(nosotros) vamos
2	iríais	habríais ido	(vosotros) id
3	irían	habrían ido	(Vds) vayan

	SUBJONCTIF		
	PRÉSENT	IMPARFAIT	PLUS-QUE-PARFAIT
1	vaya	fu-era/ese	hubiera ido
2	vayas	fu-eras/eses	hubieras ido
3	vaya	fu-era/ese	hubiera ido
1	vayamos	fu-éramos/ésemos	hubiéramos ido
2	vayáis	fu-erais/eseis	hubierais ido
3	vayan	fu-eran/esen	hubieran ido

PASSÉ COMPOSÉ
haya ido, etc.

INFINITIF	PARTICIPE
PRÉSENT	PRÉSENT
ir	yendo
PASSÉ	PASSÉ
haber ido	ido

TENER *avoir*

PRÉSENT	IMPARFAIT	FUTUR
1 tengo	tenía	tendré
2 tienes	tenías	tendrás
3 tiene	tenía	tendrá
1 tenemos	teníamos	tendremos
2 tenéis	teníais	tendréis
3 tienen	tenían	tendrán

PASSÉ SIMPLE	PASSÉ COMPOSÉ	PLUS-QUE-PARFAIT
1 tuve	he tenido	había tenido
2 tuviste	has tenido	habías tenido
3 tuvo	ha tenido	había tenido
1 tuvimos	hemos tenido	habíamos tenido
2 tuvisteis	habéis tenido	habíais tenido
3 tuvieron	han tenido	habían tenido

PASSÉ ANTÉRIEUR
hube tenido, etc.

FUTUR ANTÉRIEUR
habré tenido, etc.

CONDITIONNEL

PRÉSENT	PASSÉ	IMPÉRATIF
1 tendría	habría tenido	
2 tendrías	habrías tenido	(tú) ten
3 tendría	habría tenido	(Vd) tenga
1 tendríamos	habríamos tenido	(nosotros) tengamos
2 tendríais	habríais tenido	(vosotros) tened
3 tendrían	habrían tenido	(Vds) tengan

SUBJONCTIF

PRÉSENT	IMPARFAIT	PLUS-QUE-PARFAIT
1 tenga	tuv-iera/iese	hubiera tenido
2 tengas	tuv-ieras/ieses	hubieras tenido
3 tenga	tuv-iera/iese	hubiera tenido
1 tengamos	tuv-iéramos/iésemos	hubiéramos tenido
2 tengáis	tuv-ierais/ieseis	hubierais tenido
3 tengan	tuv-ieran/iesen	hubieran tenido

PASSÉ COMPOSÉ
haya tenido, etc.

INFINITIF	PARTICIPE
PRÉSENT	PRÉSENT
tener	teniendo
PASSÉ	PASSÉ
haber tenido	tenido

VENIR *venir*

	PRÉSENT	IMPARFAIT	FUTUR
1	vengo	venía	vendré
2	vienes	venías	vendrás
3	viene	venía	vendrá
1	venimos	veníamos	vendremos
2	venís	veníais	vendréis
3	vienen	venían	vendrán

	PASSÉ SIMPLE	PASSÉ COMPOSÉ	PLUS-QUE-PARFAIT
1	vine	he venido	había venido
2	viniste	has venido	habías venido
3	vino	ha venido	había venido
1	vinimos	hemos venido	habíamos venido
2	vinisteis	habéis venido	habíais venido
3	vinieron	han venido	habían venido

PASSÉ ANTÉRIEUR	FUTUR ANTÉRIEUR
hube venido, etc.	habré venido, etc.

CONDITIONNEL

	PRÉSENT	PASSÉ	IMPÉRATIF
1	vendría	habría venido	
2	vendrías	habrías venido	(tú) ven
3	vendría	habría venido	(Vd) venga
1	vendríamos	habríamos venido	(nosotros) vengamos
2	vendríais	habríais venido	(vosotros) venid
3	vendrían	habrían venido	(Vds) vengan

SUBJONCTIF

	PRÉSENT	IMPARFAIT	PLUS-QUE-PARFAIT
1	venga	vin-iera/iese	hubiera venido
2	vengas	vin-ieras/ieses	hubieras venido
3	venga	vin-iera/iese	hubiera venido
1	vengamos	vin-iéramos/iésemos	hubiéramos venido
2	vengáis	vin-ierais/ieseis	hubierais venido
3	vengan	vin-ieran/iesen	hubieran venido

PASSÉ COMPOSÉ
haya venido, etc.

INFINITIF	PARTICIPE
PRÉSENT	PRÉSENT
venir	viniendo
PASSÉ	PASSÉ
haber venido	venido

C LES VERBES SUIVIS D'UNE PRÉPOSITION

Seuls les verbes qui s'emploient avec des prépositions différentes du français figurent dans les listes ci-dessous.

1 Les verbes qui prennent a devant le complément d'objet

acercarse a	*approcher, s'approcher de*
aproximarse a	*approcher, s'approcher de*
arrojarse a	*se jeter dans (le vide)*
asomarse a	*se pencher par (la fenêtre)*
caer a	*tomber dans*
dar a	*donner sur*
oler a	*sentir (avoir une odeur de)*
saber a	*avoir un goût de*
traducir a	*traduire en*

la ventana de mi cuarto daba a una escuela
la fenêtre de ma chambre donnait sur une école

aquí huele a quemado
ça sent le brûlé ici

2 Les verbes qui prennent de devant le complément d'objet

coger de	*prendre par (la main)*
colgar de	*suspendre à*
entender de	*s'y connaître en*
enterarse de	*apprendre (une nouvelle)*
olvidarse de	*oublier*
pasar de	*dépasser*
saber de	*connaître*
sospechar de	*soupçonner*
tirar de	*tirer sur*

me acabo de enterar de la noticia   no tires de la cuerda
je viens d'apprendre la nouvelle   *ne tire pas sur la corde*

3 Les verbes qui prennent con devant le complément d'objet

amenazar con	*menacer de*
conformarse con	*se contenter de*
consultar con	*consulter*
contar con	*compter sur*
contentarse con	*se contenter de*

dar con	*rencontrer*
encapricharse con	*s'enticher de*
encontrarse con	*rencontrer*
entusiasmarse con	*s'enthousiasmer pour*
hablar con	*parler à*
portarse con	*se conduire envers*
soñar con	*rêver de*

me encontré con Teresa en la calle
j'ai rencontré Teresa dans la rue

cuento contigo
je compte sur toi

4 Les verbes qui prennent en devant le complément d'objet

consentir en	*consentir à*
convenir en	*convenir de*
fijarse en	*regarder, faire attention à*
insistir en	*insister sur*
pensar* en	*penser à*
reparar en	*remarquer*

consintió en ello
elle y a consenti

¡fíjate en aquel edificio!
regarde-moi ce bâtiment !

*Ne confondez pas pensar en et pensar de qui signifie "avoir une opinion sur" :

pensaba en sus vacaciones en España
elle pensait à ses vacances en Espagne

¿qué piensas de esta idea?
qu'est-ce que tu penses de cette idée ?

5 Les verbes qui prennent por devant le complément d'objet

cambiar por	*échanger contre*
interesarse por	*s'intéresser à*
preguntar por	*prendre des nouvelles de, demander*

cambié mi reloj por el suyo
j'ai échangé ma montre contre la sienne

el cura preguntó por mi tía que está enferma
le curé a pris des nouvelles de ma tante qui est malade

D LES VERBES SUIVIS DE L'INFINITIF

Les verbes suivants correspondent à des verbes français suivis soit d'une préposition, soit directement de l'infinitif ; dans tous les cas, seules les différences entre l'espagnol et le français sont indiquées.

1 Les verbes immédiatement suivis de l'infinitif

a) *Les verbes exprimant un conseil, un ordre, la prévention et la permission*

aconsejar	*conseiller de*
conceder	*consentir à*
impedir	*empêcher de*
mandar	*ordonner de, donner l'ordre de*
ordenar	*ordonner de*
permitir	*permettre de*
prohibir	*défendre de, interdire de*
recomendar	*recommander de*

mis padres no me permiten poner la radio después de medianoche
mes parents ne me permettent pas de mettre la radio après minuit

me mandó salir
il m'a ordonné de partir

b) *Les verbes suivants, lorsque le verbe à l'infinitif est le sujet*

alegrar	me alegra verte de nuevo *je suis heureux de te revoir*
convenir	no me conviene salir mañana *ça ne me convient pas de partir demain*
hacer falta	te hace falta estudiar *tu as besoin de travailler*
olvidarse	se me olvidó ir al banco *j'ai oublié d'aller à la banque*
parecer	¿te parece bien salir ahora? *est-ce que tu penses que c'est une bonne idée de sortir maintenant ?*

c) *Les verbes suivants, lorsque le sujet est le même que celui du verbe à l'infinitif*

acordar	*se mettre d'accord pour*
concertar	*convenir de*
conseguir	*parvenir à*
decidir	*décider de*
descuidar	*négliger de*
evitar	*éviter de*
fingir	*faire semblant de*
intentar	*essayer de*
lograr	*parvenir à*
ofrecer	*offrir de*
olvidar	*oublier de*
pedir	*demander de*
pretender	*chercher à*
procurar	*essayer de*
prometer	*promettre de*
recordar	*se souvenir de*
resolver	*résoudre de*
sentir	*regretter de*
soler	*avoir l'habitude de*
temer	*craindre de*

nuestro equipo consiguió ganar el partido
notre équipe est parvenue à gagner le match

hemos decidido esperar hasta el lunes
nous avons décidé d'attendre jusqu'à lundi

solemos merendar en el bosque los domingos
*nous allons généralement faire un pique-nique dans les bois le
 dimanche*

2 Les verbes suivis de a + infinitif

atreverse a	*oser*
negarse a	*refuser de*
ofrecerse a	*se proposer pour*

no se atreve a llamar a su vecina
il n'ose pas appeler sa voisine

Pepe se ofreció a llevarnos a la estación
Pepe s'est proposé pour nous emmener à la gare

3 Les verbes suivis de **de** + infinitif

dar de (comer) *donner à (manger)*
desistir de *renoncer à*

finalmente desistieron de ir a Andalucía
finalement ils ont renoncé à aller en Andalousie

4 Les verbes suivis de **en** + infinitif

complacerse en *prendre plaisir à*
consentir en *consentir à*
consistir en *consister à*
convenir en *convenir de*
dudar en *hésiter à*
empeñarse en *insister pour*
entretenerse en *s'amuser à*
esforzarse en *s'efforcer de*
hacer bien en *faire bien de, avoir raison de*
hacer mal en *avoir tort de*
insistir en *insister pour*
obstinarse en *s'obstiner à*
pensar en *penser à*
persistir en *persister à*
quedar en *convenir de*
soñar en *songer à*
tardar en *mettre (du temps) à*
vacilar en *hésiter à*

la niña se esforzaba en convencerme
la petite fille s'efforçait de me convaincre

haces bien en ayudar a tu madre
tu fais bien d'aider ta mère

los amigos quedaron en verse a las ocho
les amis ont convenu de se voir à huit heures

el tren tardó treinta minutos en llegar
le train a mis trente minutes à arriver

5 Les verbes suivis de **con** + infinitif

amenazar con *menacer de*
contentarse con *se contenter de*
soñar con *rêver de*

el hombre de negocios soñaba con ir a Río de Janeiro
l'homme d'affaires rêvait d'aller à Rio de Janeiro

6 Les verbes suivis de por + infinitif

Ce sont le plus souvent des verbes exprimant l'idée d' "avoir envie de", "essayer de", etc.

esforzarse por · *s'efforcer de*
morirse por · *mourir d'envie de*

la niña se moría por abrir los paquetes
la petite fille mourait d'envie d'ouvrir les paquets

 **E EMPLOIS**

1 Emplois de l'infinitif

a) *Verbe + préposition + infinitif*

Un verbe employé à l'infinitif après un autre verbe peut soit apparaître seul soit être introduit par une préposition. Il existe peu de règles vraiment utiles permettant de déterminer quelle est la préposition que l'on doit employer et, dans la plupart des cas, cela s'apprend par l'observation et la pratique.

Voir la section D précédente.

b) *Adjectif + infinitif*

Il est peut-être bon de noter ici la construction suivante, d'un emploi très fréquent en espagnol :

(complément d'objet indirect) + verbe + adjectif + infinitif

Le complément d'objet indirect peut être un pronom ou un nom. Le verbe peut être ser, parecer, resultar ou un verbe similaire. On peut employer un grand nombre d'adjectifs et n'importe quel verbe peut s'employer à l'infinitif après l'adjectif :

me es difícil creer lo que estás diciendo
il m'est difficile de croire ce que tu dis

nos parece absurdo proponer tal cosa
il nous semble absurde de proposer une chose pareille

Remarquez en particulier qu'on ne traduit pas la préposition "de" en espagnol.

On peut employer la même construction avec divers verbes exprimant l'idée de "considérer", "juger", etc., mais dans ce cas, il n'y a pas de complément d'objet indirect :

encuentro difícil aceptar **eso**
je trouve difficile d'accepter cela

consideramos poco aconsejable continuar **así**
nous considérons peu souhaitable de continuer ainsi

c) *Adjectif* + de + *infinitif*

Si l'adjectif ne fait pas partie d'une expression impersonnelle, mais se rapporte à une chose ou des choses identifiables déjà mentionnées dans la phrase, il est suivi de de + infinitif. L'adjectif s'accorde avec la chose que l'on décrit :

estos ejercicios son fáciles de hacer
ces exercices sont faciles à faire

encuentro este libro difícil de leer
je trouve ce livre difficile à lire

Remarquez la traduction de "à" par de dans cette construction.

d) Que + *infinitif*

Remarquez que, là où on emploie "à" en français après un nom, l'espagnol place que devant l'infinitif :

tengo una factura que pagar
j'ai une facture à payer

nos queda mucho trabajo que hacer
nous avons encore beaucoup de travail à faire

e) *Infinitif ou proposition subordonnée ?*

Lorsque deux verbes sont liés en espagnol, vous devez décider soit de mettre le second verbe à l'infinitif (précédé ou non d'une préposition) soit de l'inclure dans une proposition subordonnée introduite par que.

La règle est la même qu'en français : si le sujet des deux verbes est le même, vous pouvez dans la plupart des cas employer un simple infinitif, mais si les sujets sont différents, vous devez, à quelques rares exceptions près, inclure le deuxième verbe dans une proposition subordonnée (et fréquemment le mettre au sub-jonctif). Comparez les cas suivants :

• *Lorsque les deux verbes ont le même sujet*

quiero hacerlo
je veux le faire

Je ne suis pas seulement la personne qui "veut", je suis aussi la personne qui veut "le faire". Personne d'autre n'intervient ici.

entré sin verlo
je suis entrée sans le voir

Je suis entrée et *je* ne l'ai pas vu.

• *Lorsque les deux verbes ont chacun un sujet différent*

Comparez les phrases données ci-dessus avec ce qui suit :

quiero que tú lo hagas
je veux que tu le fasses

Deux personnes interviennent ici. *Je* "veux", mais *tu* es la personne qui doit "le faire".

entré sin que él me viera
je suis entrée sans qu'il me voie

Je suis entrée, mais *il* ne m'a pas vue.

• *Les verbes avec lesquels l'infinitif peut avoir un sujet différent*

Il existe un petit nombre de verbes pouvant être suivis d'un infinitif ayant un sujet différent de celui du premier verbe. Voir page 138 la liste de ces verbes :

me dejaron entrar
ils m'ont laissé entrer

• *Les infinitifs suivant des prépositions*

Les exceptions les plus évidentes à la règle générale sont des expressions formées d'une préposition suivie d'un infinitif. Dans ce cas, l'infinitif peut avoir un sujet autre que celui du verbe principal, mais ce sujet est toujours placé après l'infinitif :

quiero hacerlo antes de llegar los otros
je veux le faire avant que les autres arrivent

Ces expressions sont d'un style plutôt littéraire. Cependant, même en espagnol littéraire, on emploie souvent une proposition subordonnée :

quiero hacerlo antes de que lleguen los otros
je veux le faire avant que les autres arrivent

f) *Un emploi idiomatique :* al + infinitif

Il s'agit là d'une construction très utile en espagnol, bien qu'elle soit d'un emploi plus fréquent à l'écrit qu'à l'oral. Elle sert à exprimer des actions simultanées dans le présent, le futur ou le passé. Elle peut même avoir son propre sujet, qui peut être différent du sujet du verbe principal de la phrase :

al entrar vieron a los otros salir
lorsqu'ils sont entrés, ils ont vu les autres sortir

al aparecer el cantante, el público aplaudió
lorsque le chanteur est apparu, le public a applaudi

Cette construction peut aussi indiquer la cause :

al tratarse de una emergencia, llamamos un médico
comme c'était une urgence, nous avons appelé un médecin

2 Pour exprimer le présent

a) *L'emploi des formes progressives du présent*

Les formes progressives sont formées de estar à la forme qui convient (voir pages 130 et 174-5) suivi du verbe au participe présent (on peut aussi employer d'autres verbes que estar, comme on peut le voir ci-dessous).

● Estar + *participe présent*

Les formes progressives présentent toute action essentiellement comme une activité. Si une action ne peut pas être envisagée comme activité, on n'emploie pas la forme progressive. Par exemple :

me siento bien
je me sens bien

Les formes progressives sont employées pour des actions que l'on considère comme étant en train de se dérouler au moment où l'on parle :

no hagas tanto ruido, estoy escuchando la radio
*ne fais pas autant de bruit, j'écoute la radio (je suis en train de
l'écouter en ce moment)*

On les emploie aussi lorsqu'une action a été commencée dans le
passé et que le locuteur se sent encore impliqué dans cette
action, même si elle n'a pas lieu au moment exact où il parle :

estoy escribiendo una tesis sobre la política española
j'écris une thèse sur la politique espagnole

Je peux ne pas être en train d'écrire au moment où je parle (en
fait, je peux n'avoir pas travaillé à ma thèse depuis plusieurs
semaines), mais j'ai déjà commencé et c'est l'une de mes activités
à l'heure actuelle.

Comparez les deux exemples suivants :

no me interrumpas, estoy trabajando
ne m'interromps pas, je suis en train de travailler

trabajo en Madrid
je travaille à Madrid

- Ir + *participe présent*

  Ir souligne la nature progressive de l'action, et suggère que celle-
  ci se poursuivra dans le futur :

  poco a poco nos vamos acostumbrando
  *nous nous y habituons petit à petit (et nous continuerons à nous y
  habituer)*

  la tasa de inflación va aumentando
  le taux d'inflation est en augmentation (et continuera à augmenter)

- Venir + *participe présent*

  Venir indique que l'action a commencé dans le passé et se pour-
  suit dans le présent :

  las medidas que vienen adoptando son inútiles
  les mesures qu'ils sont en train d'adopter sont inutiles

  los ejercicios que venimos haciendo no son interesantes
  les exercices que nous faisons ne sont pas intéressants

- Llevar + *participe présent*

  De même que pour venir, llevar introduit une action à cheval
  entre le passé et le présent :

llevamos tres meses aprendiendo el ruso
cela fait trois mois que nous apprenons le russe

b) *Le présent en général*

Tous les autres aspects du présent (actions répétées, vérités d'ordre général, etc.) sont exprimés par les formes normales du présent :

vamos a España todos los años   la vida es dura
nous allons en Espagne tous les ans   *la vie est dure*

3 Pour exprimer le futur

a) *La notion d'engagement personnel de la part du locuteur*

Pour l'expression du futur, l'espagnol fait la distinction entre les cas où il y a un engagement personnel de la part du locuteur et les cas où cet engagement n'existe pas. Cette nuance dans l'expression du futur s'applique aussi au futur dans le passé.

En espagnol, on met le verbe au présent pour exprimer une action dans l'avenir tout en faisant intervenir la notion d'engagement personnel de la part du locuteur. Si cette notion d'engagement n'est pas présente, on emploie le futur. Remarquez toutefois que le présent ne peut s'employer pour exprimer une action future que s'il existe un mot dans la phrase indiquant la notion de futur ou si le contexte fait clairement référence au futur.

Notez que le présent peut aussi s'employer en français pour exprimer un futur avec notion d'engagement de la part du locuteur (par exemple : "je pars demain", "le bateau part mardi prochain").

● *Le présent et le futur*

Il convient de souligner le fait que la différence entre ces deux futurs n'est en aucune manière liée à l'action dont il est question, ou à sa distance dans le temps par rapport au locuteur. Il est tout à fait possible d'employer l'un ou l'autre futur pour faire référence à la même action. Ce qui détermine le choix du locuteur est la mesure de son engagement par rapport à l'action à laquelle il fait référence.

Comparez les exemples suivants :

lo hago mañana   lo haré mañana

Ces deux phrases signifient "je le ferai demain". Cependant, la première exprime une intention beaucoup plus ferme de la part du locuteur.

Le futur (en réalité un présent) exprimant un engagement de la part du locuteur tend à être plus couramment employé aux premières personnes du singulier et du pluriel ("je" et "nous"). Néanmoins, il est aussi employé aux troisièmes personnes si le locuteur fait référence à un événement dont il est absolument certain :

los Reyes visitan Alemania la semana que viene
le Roi et la Reine visitent (visiteront) l'Allemagne la semaine prochaine

el primer centenario de la democracia se celebra en 2077
le premier centenaire de la démocratie sera célébré en 2077

Le présent est aussi très employé pour demander directement à quelqu'un de faire quelque chose immédiatement :

¿me prestas dos euros?
tu me prêtes deux euros ?

Une autre tournure moins directe consiste à employer les verbes poder ou querer suivis de l'infinitif :

¿puedes darme esas tijeras?
peux-tu me donner cette paire de ciseaux ?

¿quieres pasarme ese bolígrafo?
veux-tu me passer ce stylo ?

L'emploi du futur pour formuler une demande indique qu'on ne s'attend pas à ce que la demande soit exaucée immédiatement :

¿me terminarás eso?
pourras-tu me finir cela ? (à un moment ou à un autre dans le futur)

- Ir a + *infinitif*

Comme dans la construction française "je vais le faire demain", on peut exprimer en espagnol un futur avec notion d'engagement de la part du locuteur par ir a suivi de l'infinitif, bien que cette tournure soit plutôt moins fréquente que son équivalent français :

voy a estudiar medicina en la universidad
je vais étudier la médecine à l'université

van a ver esa película mañana
ils vont voir ce film demain

b) *Le futur antérieur*

Comme en français, on emploie le futur antérieur pour lier une action dans le futur à une autre action. Il indique que l'action en question aura été accomplie lorsque la deuxième se produira (voir page 110 pour la formation du futur antérieur) :

ya lo **habré hecho** cuando vuelvas
je l'aurai déjà fait lorsque tu reviendras

si llegamos tarde, ya **se habrá marchado**
si nous arrivons en retard il sera déjà parti

Le futur antérieur peut aussi indiquer que l'action aura été terminée avant un moment particulier dans le temps :

lo **habré terminado** para sábado   ya **habrá llegado**
je l'aurai fini d'ici samedi   *il sera déjà arrivé*

c) *Pour exprimer le futur du passé*

Dans une proposition subordonnée, on exprime le futur du passé à l'aide soit de l'imparfait (lorsque le locuteur s'engage personnellement) soit du conditionnel (lorsque le locuteur ne s'engage pas). Toutefois, l'emploi du conditionnel est nettement plus courant que l'emploi de l'imparfait dans cette construction :

me dijo que **iba** a España la semana siguiente *(imparfait)*
il m'a dit qu'il irait en Espagne la semaine suivante

Il a dit **voy a España**, en faisant référence au futur. Cependant, il a dit cela dans le passé, et il s'agit donc là d'un futur du passé.

me explicó que lo **haría** después de volver de sus vacaciones *(conditionnel)*
il m'a dit qu'il le ferait en rentrant de vacances

Le conditionnel passé exprime la notion de futur antérieur dans le passé :

me aseguró que **habría terminado** el trabajo antes de medianoche
il m'a affirmé qu'il aurait terminé le travail avant minuit

d) *La limite dans le futur*

Les actions qui sont sur le point d'avoir lieu sont exprimées en espagnol par **estar a punto de** au présent ou, moins couramment, **estar para** suivi de l'infinitif :

estoy a punto de empezar
je suis sur le point de commencer

el tren está para salir
le train est sur le point de partir

On emploie l'imparfait lorsque l'action est située dans le passé :

estaba a punto de salir cuando Juan llegó
j'étais sur le point de sortir lorsque Juan est arrivé

4 Pour exprimer le passé

En espagnol, on distingue quatre niveaux de passé. À savoir :

le passé lié au présent	→	le passé composé
le passé achevé	→	le passé simple
le passé en train de se dérouler	→	l'imparfait
le passé éloigné dans le temps	→	le plus-que-parfait

Il convient de souligner que le temps choisi ne dépend en rien de l'action à laquelle on fait référence. Il ne dépend pas de sa nature (action unique ou action répétée), pas plus qu'il ne dépend de sa durée (que l'action ait duré une seconde ou un siècle), ni même de sa situation dans le temps (qu'elle se soit produite il y a une minute ou il y a mille ans).

Le temps que vous choisissez dépend entièrement de la manière dont vous percevez subjectivement l'action, particulièrement en ce qui concerne son lien avec les autres actions auxquelles vous faites référence.

a) *Le passé lié au présent*

On emploie le passé composé pour faire référence à une action passée qui, bien qu'elle soit achevée, est considérée par le locuteur comme étant d'une certaine manière liée au présent. Le lien perçu entre l'action passée et le présent est souvent indiqué par la présence de verbes ou adverbes apparentés faisant référence au présent. Il n'y a pas de limite quant à l'éloignement dans le temps de l'action ou de la série d'actions.

Remarque :

Notez la différence fondamentale entre le français et l'espagnol en ce qui concerne l'expression du passé. En espagnol, on utilise le passé composé **uniquement** pour exprimer une action liée au présent. Une action considérée comme étant achevée et comme n'ayant aucun rapport avec le présent est **toujours** exprimée par le passé simple.

Comparez :

he visitado muchos países europeos últimamente
j'ai visité beaucoup de pays européens récemment

durante su vida visitó muchos países europeos
pendant sa vie il a visité de nombreux pays européens

en los últimos diez años he aprendido diez idiomas extranjeros
au cours des dix dernières années j'ai appris dix langues étrangères

aprendí el árabe durante un cursillo de verano
j'ai appris l'arabe pendant un stage d'été

b) *Le passé de l'action achevée*

Le passé achevé indique que l'aspect de l'action (ou série d'actions) qui est le plus important aux yeux du locuteur est le fait qu'elle soit achevée. Il importe peu qu'il s'agisse ou non d'une action répétée, ou que celle-ci ait ou non duré longtemps. Si l'on insiste sur le fait que l'action est achevée, on emploiera le passé simple :

hizo esto cada día durante casi diez años
il a fait cela chaque jour pendant presque dix ans

viví en España durante más de veinte años
j'ai vécu en Espagne pendant plus de vingt ans

Remarque :

À la différence du français, le passé simple est très couramment employé en espagnol.

c) *Le passé de l'action en train de se dérouler*

On exprime le passé en train de se dérouler à l'aide de l'imparfait. Une action sera exprimée à l'imparfait si ce qui domine dans l'esprit du locuteur est le fait que l'action soit en cours et non pas le fait que l'action soit achevée. Il n'y a aucune limite quant à la longueur ou à la brièveté de l'action.

En général, on emploie l'imparfait en espagnol là où l'on emploierait l'imparfait en français :

cuando era pequeño, iba todos los días a la piscina
lorsque j'étais petit, j'allais à la piscine tous les jours

mientras Pepe veía la televisión, Juan hacía sus deberes
pendant que Pepe regardait la télévision, Juan faisait ses devoirs

Si une action est présentée comme se produisant pendant qu'une autre est déjà en cours, l'action qui se produit sera exprimée par le passé simple, tandis que l'action en cours sera exprimée par l'imparfait :

mientras Juan llamaba a la puerta, el teléfono sonó
le téléphone a sonné pendant que Juan frappait à la porte

Comme le présent, l'imparfait a aussi une forme progressive, que l'on construit avec l'imparfait de l'auxiliaire estar suivi du participe présent du verbe. Là encore, la forme progressive présente l'action comme étant principalement une activité :

estábamos escuchando la radio cuando María entró
nous étions en train d'écouter la radio lorsque María est entrée

Ces exemples permettent de voir qu'il est parfaitement possible en espagnol d'employer l'imparfait ou le passé simple pour faire référence à la même action, en fonction des changements dans la perception subjective du locuteur :

Juan llamó a la puerta. Mientras llamaba a la puerta, el teléfono sonó. Mientras el teléfono sonaba, el bebé empezó a llorar.
Juan a frappé à la porte. Pendant qu'il frappait à la porte, le téléphone a sonné. Pendant que le téléphone sonnait, le bébé s'est mis à pleurer.

d) *Les actions qui durent dans le passé*

Comme en français, on emploie l'imparfait :

trabajaba desde hacía diez años como profesor
cela faisait dix ans qu'il travaillait comme professeur

hacía veinte años que vivían en España
cela faisait vingt ans qu'ils vivaient en Espagne

llevaba quince minutos esperando
cela faisait quinze minutes que j'attendais

e) *La limite dans le passé*

Les actions venant juste de se produire sont exprimées par acabar de au présent suivi de l'infinitif :

acabamos de ver el programa
nous venons de voir l'émission

acaban de volver del cine
elles viennent de rentrer du cinéma

Là encore, on emploie l'imparfait si cette idée est exprimée au passé :

acabábamos de poner la tele cuando entraron
nous venions juste d'allumer la télé lorsqu'ils sont arrivés

f) *Expressions stylistiques du passé*

● *L'emploi du présent pour exprimer un passé simple*

Pour des raisons de style, particulièrement à l'écrit, on exprime souvent le passé à l'aide d'un verbe au présent (appelé présent de narration). Cet emploi permet de rendre la narration plus vivante. C'est là un emploi comparable à celui du présent de narration en français :

en el siglo quince sale Colón para América
au quinzième siècle, Colomb part pour l'Amérique

● *L'emploi de l'imparfait pour exprimer un passé simple*

Là encore, à l'écrit, pour des raisons de style et pour rendre un récit plus vivant, l'espagnol exprime parfois une action à l'imparfait alors que l'on aurait normalement employé un passé simple :

en 1975 moría Franco y comenzaba la transición a la democracia
en 1975 Franco mourait et la transition vers la démocratie commençait

g) *Le plus-que-parfait*

De même qu'en français, le passé plus éloigné dans le temps est exprimé par un plus-que-parfait. Le locuteur indique par là que l'action a été accomplie avant une autre action passée :

llegué a las tres, pero Juan ya se había marchado
je suis arrivé à trois heures, mais Juan était déjà parti

no podía salir porque había perdido la llave
elle ne pouvait pas sortir car elle avait perdu sa clef

h) *Le passé antérieur*

En espagnol très littéraire, on emploie parfois dans une subordonnée le passé antérieur pour exprimer une action qui s'est déroulée avant une autre action passée :

cuando hubo terminado la guerra volvió a su pueblo
après que la guerre se soit terminée, il est retourné dans son village

Le passé antérieur ne s'emploie jamais à l'oral car il est considéré comme désuet, même en espagnol écrit contemporain. On préfère employer le plus-que-parfait ou simplement le passé simple.

5 Emplois du conditionnel

Ils sont très similaires à ceux du français :

a) *Dans les hypothèses*

Le conditionnel intervient dans la proposition principale lorsque la subordonnée contient une hypothèse (si + subjonctif).

Remarque :

Attention à la concordance des temps : imparfait du subjonctif dans la subordonnée + conditionnel présent dans la principale ; plus-que-parfait du subjonctif dans la subordonnée + conditionnel passé dans la principale :

si la conociera mejor, le hablaría
si je la connaissais mieux, je lui parlerais

si lo hubiera sabido, te habría avisado
si j'avais su, je t'aurais prévenu

b) *Dans les souhaits et les demandes polies*

a Miguel le gustaría viajar
Miguel aimerait voyager

¿me podrías pasar la sal?
tu pourrais me passer le sel ?

Voir aussi pages 227-31.

6 Emplois du subjonctif

a) *Dans les propositions subordonnées temporelles*

Une proposition subordonnée temporelle est une proposition introduite par un mot ou une locution indiquant la notion de temps comme cuando, antes de que, etc.

Remarque :

En espagnol, on n'emploie jamais le futur dans une proposition subordonnée temporelle comme on le ferait en français, mais on emploie le temps du subjonctif qui convient.

Voir les listes de conjonctions données pages 197-9.

● *Le futur*

Le futur est exprimé par le **subjonctif présent**. On n'opère pas de distinction entre le futur avec notion d'engagement de la part du locuteur et le futur sans notion d'engagement :

en cuanto llegue, se lo diré
je le lui dirai dès qu'il arrivera

¿qué harás cuando termine tu contrato?
qu'est-ce que tu feras lorsque ton contrat prendra fin ?

Remarquez que, bien que les conjonctions mientras no et hasta que (no) signifient toutes deux "jusqu'à ce que", "tant que", le no est facultatif après hasta que :

no podemos hacerlo mientras no nos autoricen
nous ne pouvons pas le faire tant qu'ils ne nous y autorisent pas/qu'ils ne nous y auront pas autorisés

no podemos mandar las mercancías hasta que (no) nos manden el pedido
nous ne pouvons pas envoyer les marchandises tant qu'ils ne nous auront pas envoyé la commande

● *Le futur antérieur*

Dans une proposition subordonnée temporelle, on exprime l'idée de futur antérieur à l'aide du **subjonctif passé composé** :

podrás salir cuando hayas terminado tus deberes
tu pourras sortir quand tu auras fini tes devoirs

insisto en que te quedes hasta que lo hayas hecho
j'insiste pour que tu restes jusqu'à ce que tu l'aies fait

● *Le futur du passé*

Dans une proposition subordonnée temporelle en espagnol, on exprime le futur du passé à l'aide de l'**imparfait du subjonctif**, et non pas à l'aide du conditionnel comme on le ferait en français :

me aseguró que lo haría en cuanto llegara
elle m'a assuré qu'elle le ferait dès qu'elle arriverait

nos informaron que los mandarían tan pronto como fuese posible
ils nous ont dit qu'ils nous les enverraient dès que possible

b) *La proposition subordonnée : indicatif ou subjonctif ?*

Le verbe d'une proposition subordonnée est soit à l'indicatif soit au subjonctif.

D'une manière générale, on emploie l'indicatif pour introduire ce qui constitue **d'après le locuteur** des constatations vérifiables et sans équivoque. Par contre, le subjonctif est employé si le locuteur pense que les affirmations ne sont pas vraies, s'il ne peut, pour une raison ou une autre, garantir qu'elles se révèleront vraies, ou si, plutôt que de se contenter de constater les actions, il exprime un sentiment face à celles-ci. Il peut y avoir toutes sortes de raisons à cela, par exemple :

Comme en français :

– s'il doute d'une affirmation ou la dément :

no creo que sea necesario
je ne crois pas que ce soit nécessaire

– si les actions sont introduites par une affirmation exprimant une émotion, un sentiment, un souhait :

quiero que se vayan
je veux qu'ils s'en aillent

À la différence du français :

- si les actions n'ont pas encore été accomplies ; elles appartiennent alors au futur et on ne peut donc pas garantir qu'elles auront lieu :

espero que vengas
j'espère que tu viendras

- si les actions sont exprimées en tant que conditions qui ne sont pas encore réalisées (par exemple dans les ordres) ou ne peuvent pas l'être (si..., como si...) :

se porta como si fuese el jefe
il se conduit comme si c'était lui le chef

Pour ce qui est des ordres, le subjonctif est toujours employé dans la subordonnée après les verbes decir, escribir, pedir, aconsejar, rogar, suplicar, etc., là où le français emploie l'infinitif :

me dijo que entrara
elle m'a dit d'entrer

os pido que os calléis
je vous demande de vous taire

Il est important de bien comprendre qu'il n'y a pas de règles universelles concernant l'emploi du subjonctif en espagnol. Par exemple, on applique des règles différentes pour faire référence au futur suivant que l'on exprime une condition ou une émotion. Chaque cas doit être traité individuellement.

D'une manière générale, toute expression impersonnelle qui n'introduit pas une simple constatation est suivie du subjonctif :

es posible/probable/una pena que esté allí
il est possible/probable/dommage qu'il soit là

Remarquez en particulier que, contrairement au français, tous les temps du subjonctif (présent, imparfait, passé composé, plus-que-parfait) sont couramment employés en espagnol. La concordance normale des temps est la suivante :

TEMPS DE LA PROPOSITION PRINCIPALE	TEMPS DU SUBJONCTIF
présent futur passé composé futur antérieur	présent, passé composé
imparfait passé simple conditionnel conditionnel passé plus-que-parfait	imparfait, plus-que-parfait

él no quería que yo entrara   si estudiaras más, aprobarías
il ne voulait pas que j'entre   *si tu étudiais plus, tu réussirais*

habría querido que lo hicieras más rápidamente
j'aurais voulu que tu le fasses plus rapidement

Cependant, il ne s'agit pas là de règles immuables. Des exceptions sont possibles si le contexte l'exige.

Notez par exemple que, après como si, l'espagnol emploie l'imparfait du subjonctif bien que le verbe de la principale soit au présent de l'indicatif :

le habla como si fuera su esclavo
elle lui parle comme si c'était son esclave

c) *Dans les ordres négatifs*

¡no me empujes!
ne me pousse pas !

d) *Indicatif ou subjonctif selon le degré de certitude*

Certains mots peuvent être suivis soit de l'indicatif, soit du subjonctif, selon le degré de certitude de l'affirmation. L'indicatif dénote une plus grande certitude que le subjonctif (voir b) ci-dessus).

• *Après* aunque

Le subjonctif exprime une difficulté potentielle tandis que l'indicatif exprime une difficulté réelle. Comparez :

saldremos aunque llueva *(subjonctif)*
nous sortirons même s'il pleut (il se peut qu'il pleuve)

aunque llueve, saldremos *(indicatif)*
nous sortirons bien qu'il pleut (il pleut effectivement)

● *Après* quizás *et* tal vez

quizás vengan mañana, no sé *(subjonctif)*
ils viendront peut-être demain, je ne sais pas

tal vez tienes razón *(indicatif)*
tu as peut-être raison

Si on disait tal vez tengas razón, on douterait sérieusement du bien-fondé de ce que dit la personne.

7 Emplois de l'impératif

Pour la formation de l'impératif, voir pages 114-15.

Il est important de se souvenir que l'impératif à proprement parler n'est employé que pour donner des **ordres positifs** s'adressant soit à tú soit à vosotros/vosotras. Dans tous les autres cas (ordres positifs s'adressant à Vd. et Vds., et tous les ordres négatifs), on emploie le subjonctif à la forme qui convient :

no leas esa revista, lee ésta
ne lis pas ce magazine-là, lis celui-ci

tenéis que escribir la carta en español, no la escribáis en francés
vous devez écrire la lettre en espagnol, ne l'écrivez pas en français

vengan mañana, no vengan hoy
venez demain, ne venez pas aujourd'hui

On emploie aussi le subjonctif pour la troisième personne de l'impératif, qui est généralement précédée de que :

¡que lo hagan ellos mismos!
qu'ils le fassent eux-mêmes !

La première personne de l'impératif (celle qui correspond à "nous") peut s'exprimer à l'aide soit du subjonctif, soit de vamos a suivi du verbe à l'infinitif. L'emploi du subjonctif sous-entend de la part du locuteur une attitude plus engagée vis-à-vis de l'action en question :

vamos a ver	vamos a empezar
voyons (cela)	*commençons*

vamos	hagamos eso ahora mismo
on y va	*faisons-le immédiatement*

8 Emplois du participe présent

Pour la formation du participe présent, voir pages 107-8.

a) *Pour exprimer l'idée de moyen*

Le participe présent tout seul permet d'exprimer en espagnol l'idée de "en faisant", "en allant", etc. Remarquez qu'on n'emploie aucune préposition pour traduire le "en" français :

gané este dinero trabajando durante las vacaciones
j'ai gagné cet argent en travaillant pendant les vacances

conseguí hacerlo dejando lo demás para más tarde
j'ai réussi à le faire en remettant le reste à plus tard

b) *Pour exprimer la simultanéité de deux actions*

On emploie beaucoup le participe présent pour exprimer le fait qu'une action se déroule en même temps qu'une autre :

entró corriendo	"está bien", dijo sonriendo
elle est entrée en courant	*"d'accord", dit-il en souriant*

Le participe présent est invariable en espagnol, quels que soient le genre et le nombre du sujet du verbe :

las chicas salieron corriendo
les filles sont sorties en courant

Le participe présent ne s'emploie jamais comme adjectif en espagnol.

Pour traduire en espagnol un participe présent français employé en tant qu'adjectif, on doit à tout prix éviter d'employer le participe présent du verbe espagnol :

agua corriente	una muchacha encantadora
eau courante	*une jeune fille ravissante*

c) *Après un verbe de perception*

Après un verbe de perception ("voir", "entendre", etc.), on peut utiliser soit le participe présent soit l'infinitif, contrairement au français. Dans la pratique, l'emploi de l'infinitif est plus courant que l'emploi du participe présent :

vi a mi hermano atravesando/atravesar la calle
j'ai vu mon frère traverser la rue

d) *La cause*

Un participe présent peut aussi exprimer la cause :

estando en Madrid, decidí visitar a mi amigo
comme je me trouvais à Madrid, j'ai décidé de rendre visite à mon ami

no sabiendo cómo continuar, decidió pedir ayuda
ne sachant que faire ensuite, il a décidé de demander de l'aide

e) *Les formes progressives*

Voir 2a) ci-dessus.

f) *La poursuite d'une action*

On emploie le participe présent avec le verbe seguir, et moins fréquemment le verbe continuar, pour exprimer la poursuite d'une action :

siguió trabajando a pesar de todo
elle a continué à travailler malgré tout

continuaron repitiendo la misma cosa
ils ont continué à répéter la même chose

9 Emplois du participe passé

a) *Pour former les temps composés*

¿te ha escrito Juan?   si lo hubiera sabido...
est-ce que Juan t'a écrit ?   *si j'avais su...*

b) *Pour former le passif*

su novela fue publicada el año pasado
son roman a été publié l'année dernière

c) *Comme adjectif, après estar*

la puerta está cerrada
la porte est fermée

Remarque :

Le participe passé s'accorde avec le nom sujet quand il est épithète ou attribut, mais pas avec l'objet direct placé avant le verbe :

las fiestas fueron organizadas por el ayuntamiento
les fêtes ont été organisées par la mairie

las manzanas que he comido estaban buenísimas
les pommes que j'ai mangées étaient très bonnes

10 Le passif

a) **Ser** + *participe passé*

On forme le passif en espagnol à l'aide de **ser** + participe passé. Il convient de bien garder présent à l'esprit que le passif est employé exclusivement pour décrire une action. Si vous ne faites pas référence à une action, mais décrivez un état, vous devez employer **estar**.

Dans cette construction avec **ser** + participe passé, celui-ci s'accorde toujours avec le sujet, c'est-à-dire avec la chose ou la personne qui subit l'action.

Comparez :

la ventana fue rota por la explosión
la fenêtre a été brisée par l'explosion

cuando entré en la sala vi que la ventana estaba rota
quand je suis entré dans la pièce, j'ai vu que la fenêtre était brisée

b) *L'emploi de la forme réfléchie*

Une autre méthode pour exprimer le passif en espagnol consiste à mettre le verbe à la forme réfléchie :

el libro se publicó hace dos años
le livre a été publié il y a deux ans

las mercancías pueden mandarse por vía aérea
les marchandises peuvent être envoyées par avion

Il ne s'agit pas là d'une façon d'"éviter" le passif. Au contraire, cette construction est considérée par les Espagnols comme un passif à part entière. Lorsqu'il entend la phrase suivante :

el palacio se construyó en 1495
le palais a été construit en 1495

un Espagnol ne penserait jamais que le palais s'est construit lui-même !

Remarquez qu'il existe en français une tournure similaire mais d'un emploi plus restreint :

¿cómo se pronuncia?
comment ça se prononce ?

11 Le verbe à la forme réfléchie

a) *Le pronom réfléchi*

Un verbe est employé à la forme réfléchie si l'action du verbe est réfléchie sur le sujet. En espagnol, on met le verbe à la forme réfléchie en l'employant avec le pronom réfléchi à la forme qui convient (voir page 63).

se levantó, se lavó, se vistió y salió
il s'est levé, lavé, habillé et il est sorti

Les pronoms réfléchis indirects expriment l'idée de "pour soi-même" :

me compré un libro
je me suis acheté un livre

Les pronoms réfléchis sont également très importants lorsqu'on exprime des actions s'accomplissant sur des parties du corps ou les vêtements du locuteur :

me rompí la pierna   se puso la chaqueta
je me suis cassé la jambe   *elle a mis sa veste*

Remarque :

Les temps composés des verbes réfléchis se forment en espagnol avec haber. Le participe passé ne s'accorde pas :

las chicas se habían despertado temprano
les filles s'étaient réveillées de bonne heure

b) *Le préfixe auto-*

En espagnol contemporain, un certain nombre de verbes réfléchis peuvent être précédés du préfixe auto- (même sens qu'en français) afin de souligner le fait que l'action est réfléchie. Cependant, il convient d'utiliser ces verbes avec prudence. N'utilisez que ceux que vous connaissez :

autoprotegerse
se protéger

estos grupos se autoubican en la izquierda
ces groupes se disent de gauche

On rencontre aussi ce préfixe dans un grand nombre de noms : autodominio (*maîtrise de soi*), autocrítica (*auto-critique*), etc.

c) *La réciprocité*

On peut employer un verbe à la forme réfléchie pour exprimer non seulement l'idée de l'action se réfléchissant sur le sujet, mais aussi la réciprocité de l'action (c'est-à-dire l'action de plusieurs sujets les uns sur les autres). Dans ces cas-là, le verbe est toujours au pluriel :

nos encontramos en la calle
nous nous sommes rencontrés dans la rue

nos vemos mañana
à demain (nous nous verrons demain)

Si le verbe peut lui-même être réfléchi, l'action réciproque peut être indiquée par l'emploi de uno a otro, à moins que le contexte n'indique clairement qu'il s'agit d'une action réciproque :

se felicitaron uno a otro
ils se sont félicités mutuellement

Si le verbe prend une préposition avant son complément d'objet, la préposition remplacera le a de uno a otro :

se despidieron uno de otro
ils se sont dit au revoir

Se despidieron signifierait simplement "ils ont dit au revoir".

Dans un niveau de langue très soutenu, uno a otro peut être remplacé par les adverbes mútuamente ou recíprocamente :

se ayudan mútuamente
ils s'entraident

d) *Autres emplois*

On peut employer un certain nombre de verbes à la forme réfléchie en espagnol, sans que la signification de ces verbes diffère beaucoup de celles des verbes non réfléchis. Les plus répandus sont les suivants :

| caer, caerse | *tomber* |
| morir, morirse | *mourir* |

En ce qui concerne les autres verbes, leur signification change lorsqu'ils sont mis à la forme réfléchie :

comer	*manger*
comerse	*manger entièrement*
dormir	*dormir*
dormirse	*s'endormir*
ir	*aller*
irse	*s'en aller, partir*
llevar	*porter*
llevarse	*emporter*
quedar	*rester*
quedarse	*rester (quelque part)*

12 Les questions

Comme pour les tournures négatives, on forme les questions à l'aide de la forme normale ou progressive du verbe, selon le cas.

a) *Les questions simples*

Les questions simples sont celles qui ne sont pas introduites par un mot interrogatif. L'ordre des mots est : **verbe (+ sujet).**

En espagnol, il n'y a pas d'équivalent à la tournure "est-ce que... ?" :

¿está aquí tu hermano?
est-ce que ton frère est là ?

On peut aussi, dans le langage parlé, adopter l'ordre sujet + verbe :

el libro que encargaste, ¿ha llegado ya?
est-ce que le livre que tu as commandé est arrivé ?

Notez le ton de la phrase tel que l'illustre la ponctuation : affirmatif puis interrogatif. Le premier point d'interrogation se place juste avant le membre de phrase sur lequel porte l'interrogation, et non pas forcément en début de phrase.

"N'est-ce pas ?" se traduit en espagnol par ¿no es verdad?, ¿verdad?, ou, dans un langage plus familier, simplement par ¿no? :

tú le diste el dinero, ¿verdad?
tu lui as donné l'argent, n'est-ce pas ?

te gusta hablar español, ¿no?
tu aimes parler espagnol, n'est-ce pas ?/hein ?

b) *Les pronoms et adjectifs interrogatifs*

Voir pages 85-6.

c) *Les interrogations indirectes*

Les interrogations indirectes sont introduites soit par la conjonction si, soit par un pronom ou un adjectif interrogatifs :

me preguntó si había visto la película
elle m'a demandé si j'avais vu le film

no sé cuál prefiero
je ne sais pas lequel je préfère

se negó a decirme con quién había salido
il a refusé de me dire avec qui il était sorti

Remarque :

N'oubliez pas que les mots interrogatifs prennent toujours un accent : ¿qué ?, ¿quién ?, ¿cuál ?, ¿cuándo ?, ¿cuánto ?, ¿cómo ?, ¿por qué ?.

13 Les négations

a) *La négation simple*

Dans une tournure négative simple, on place no devant le verbe :

no como muchos caracoles, no me gustan
je ne mange pas beaucoup d'escargots, je ne les aime pas

no lo vi porque no vino
je ne l'ai pas vu parce qu'il n'est pas venu

b) *La négation composée*

Avec les négations autres que no, il existe en général deux possibilités :

- No est placé devant le verbe et l'autre négation est placée après le verbe. C'est la construction la plus répandue :

no conozco a nadie aquí
je ne connais personne ici

no sabe nada
il ne sait rien

On emploie cette même tournure lorsque la deuxième négation se trouve dans une autre proposition :

no quiero que hables con nadie
je ne veux pas que tu parles à qui que ce soit

no es necesario que hagas nada
il n'est pas nécessaire que tu fasses quoi que ce soit

- On omet no et on place la négation seule devant le verbe. En général, cette construction est réservée à tampoco, nunca et jamás, qui peuvent également se construire avec no :

Luisa nunca llega a tiempo/Luisa no llega nunca a tiempo
Luisa n'arrive jamais à l'heure

a mí tampoco me gusta/a mí no me gusta tampoco
je n'aime pas cela non plus

c) *Autres négations*

La locution estar sin + infinitif constitue une négation de l'action qui permet de suggérer que celle-ci n'a pas encore été accomplie :

la puerta está todavía sin reparar
la porte n'a pas encore été réparée

Estar peut être remplacé par quedar.

d) *Les négations après les prépositions*

Remarquez que les prépositions sin et antes de sont toujours suivies de négations, même lorsqu'en français on peut employer un terme positif :

salió sin hablar con nadie
il est sorti sans parler à personne/à qui que ce soit

decidió comer algo antes de hacer nada más
elle a décidé de manger quelque chose avant de faire quoi que ce soit d'autre

e) *L'emploi de plusieurs négations*

Plusieurs négations peuvent être employées dans la même proposition en espagnol comme en français :

nadie sabe nunca nada
personne ne sait jamais rien

no hablo nunca con nadie
je ne parle jamais à personne/à qui que ce soit

f) *Pour mettre la négation en relief (réponses)*

Il existe essentiellement trois façons de renforcer une réponse négative :

te digo que es él – ¡que no!   **¡claro que no!**
je te dis que c'est lui – mais non !   *bien sûr que non !*

entonces lo haces tú – ¡eso sí que no!
dans ce cas-là, c'est toi qui le fais – alors ça non !

g) *Pour mettre la négation en relief (noms)*

Avec les noms, on peut mettre la négation en relief en employant l'adjectif **ninguno** (voir page 94). On emploie rarement **ninguno** au pluriel :

no me queda ningún dinero
je n'ai plus du tout d'argent

Pour mettre la négation encore davantage en valeur, on peut placer **alguno**, à la forme qui convient, après le nom :

no tiene miedo alguno
il n'est pas le moins du monde effrayé

Dans la langue de tous les jours, **nada de** peut aussi s'employer avant le nom :

no me queda nada de dinero
il ne me reste plus du tout d'argent

Le degré de négation en espagnol est le suivant :

no tengo miedo   *je n'ai pas peur*

no tengo ningún miedo   *je n'ai pas du tout peur*

no tengo miedo alguno   *je n'ai absolument pas peur*
no tengo nada de miedo

Remarquez aussi les tournures suivantes :

no tengo ni idea/no tengo ni la menor idea/no tengo la más mínima
idea
je n'en ai pas la moindre idée

h)   *Pour mettre la négation en valeur (adjectifs)*

Dans le cas d'un adjectif, on peut insister sur la négation en
plaçant nada devant l'adjectif :

no encuentro sus libros nada interesantes
je ne trouve pas ses livres intéressants du tout

i)   *Pour mettre la négation en valeur (verbes)*

Nada peut aussi s'employer en tant que négation ayant une
valeur emphatique, plutôt que pour traduire "rien"; cependant
cette construction n'est pas employée lorsque le verbe est suivi
d'un complément d'objet direct :

la película no me gustó nada   no he dormido nada
le film ne m'a pas du tout plu   *je n'ai pas du tout dormi*

Si le verbe a un complément d'objet, on peut employer une locution comme en absoluto :

no entiendo esto en absoluto
je ne comprends pas du tout cela

Remarquez que, employé seul, en absoluto signifie "pas du
tout" :

¿me crees? – en absoluto
est-que tu me crois ? – pas du tout

j) *Pour traduire "ne que", "ne guère", "ne plus"*

"Ne... que" se traduit en espagnol par sólo, solamente ou no... más que :

tengo sólo dos horas/solamente tengo dos horas/no tengo más que dos horas
je n'ai que deux heures

"Ne... guère" se traduit en espagnol soit par no... muy ou no... mucho, soit par apenas placé devant le verbe :

no estás muy atento
tu n'es guère attentif

no la conoce mucho/apenas la conoce
il ne la connaît guère

"Ne... plus" se traduit en espagnol par ya no placé devant le verbe :

ya no vive allí
elle n'habite plus là

14 Pour mettre l'action en relief

Pour mettre le verbe en relief en espagnol, on emploie sí que suivi du verbe ou un verbe comme asegurar :

sí que te creo/te aseguro que te creo
je t'assure que je te crois

ella sí que no vendrá/seguro que ella no vendrá
il est certain qu'elle ne viendra pas

Parfois, on insiste sur une action en utilisant d'abord l'infinitif et ensuite la forme du verbe qui convient :

¿tú bebes? – beber no bebo, pero fumo mucho
est-ce que tu bois ? – je ne bois pas, ça non, mais je fume beaucoup

15 Traduction du verbe "avoir"

a) Tener

Tener exprime l'idée d'"avoir" dans le sens de "posséder" :

¿tienes coche?
est-ce que tu as une voiture ?

¿cuánto dinero tienes?
combien d'argent as-tu ?

On emploie parfois *tener* avec le participe passé pour exprimer une idée semblable à celle qu'expriment les temps composés. On ne peut pas employer cette construction à moins que le verbe ait un complément d'objet, et le participe passé s'accorde alors avec le complément d'objet du verbe, qu'il précède :

ya tengo escritas las cartas
j'ai écrit les lettres

Les deux emplois suivants sont particulièrement fréquents :

tenemos pensado ir a jugar al tenis
nous pensons aller jouer au tennis

tengo entendido que ha sido un éxito
d'après ce que j'ai compris, cela a été un succès

On emploie aussi fréquemment *contar con* et *disponer de* pour traduire "avoir" dans le sens d'"avoir à sa disposition" plutôt que dans le sens de "posséder" :

España cuenta con nueve centrales nucleares
l'Espagne compte neuf centrales nucléaires

b) Haber

On emploie *haber* avec le participe passé pour former les temps composés des verbes (voir pages 109-11, 113-14).

Remarque :

> N'oubliez pas que, dans ces constructions, le participe passé est toujours invariable, quels que soient le genre et le nombre du sujet ou du complément d'objet direct du verbe :
>
> las últimas películas que Carlos Saura ha dirigido son...
> *les derniers films que Carlos Saura a réalisés sont...*

c) *Traduction de l'expression "il y a"*

"Il y a" se traduit en espagnol par *hay*. Étymologiquement, *hay* est la troisième personne du singulier du présent de *haber* (*ha*) auquel se trouve accolé le mot *y* ("là", aujourd'hui inusité dans ce sens) :

hay mucha gente en la playa
il y a beaucoup de gens sur la plage

Il est important de comprendre que cette forme fait partie du verbe haber, puisque ce sont les formes normales de haber que l'on emploie à tous les autres temps et dans toutes les autres constructions :

había por lo menos cincuenta personas en la habitación
il y avait au moins cinquante personnes dans la pièce

Comme le montre cet exemple, c'est toujours la forme du singulier que l'on utilise, même avec un nom au pluriel (personas).

Remarquez également l'emploi de l'infinitif dans la construction suivante :

debe haber otra manera de abordar el problema
il doit y avoir une autre manière d'aborder le problème

16 Traduction du verbe "devenir"

Il n'y a pas de verbe "devenir" en espagnol. La traduction de ce verbe dépend du contexte :

a) *"Devenir" avec un adjectif*

Avec un adjectif, on exprime généralement "devenir" par hacerse, ponerse ou volverse. Ponerse indique un changement temporaire, volverse indique un changement plus durable :

se puso furioso cuando oyó esta noticia
il est devenu furieux en entendant cette nouvelle

se hacía oscuro fuera
il commençait à faire sombre dehors

se volvió muy antipático
il est devenu très déplaisant

b) *"Devenir" avec un nom*

Avec un nom, on traduit généralement "devenir" par hacerse ou convertirse en :

se hizo diputado a los 30 años de edad
il est devenu député à l'âge de 30 ans

esta empresa se ha convertido en la más importante de España
cette société est devenue la plus importante d'Espagne

S'il y a une notion de réussite, on peut aussi employer llegar a ser :

llegó a ser presidente a pesar de todas las dificultades
il est devenu président en dépit de toutes les difficultés

c) *Autres verbes*

Parfois, dans des cas où l'on emploierait le verbe "devenir" en français, on adopte une démarche tout autre en espagnol :

España ingresó en el Mercado Común en 1986
l'Espagne est devenue membre du Marché commun en 1986

17 Traduction du verbe "être"

a) Ser *et* estar

L'espagnol a deux verbes "être", ser et estar. D'une manière générale on peut dire que :

– ser s'emploie pour **définir** les choses

– estar s'emploie pour décrire des caractéristiques pouvant changer sans pour autant modifier la définition essentielle de la chose.

Il n'est pas toujours exact de dire que ser décrit des caractéristiques qui sont permanentes et estar des caractéristiques qui ne le sont pas. Le critère de la **définition** est beaucoup plus important pour décider quel verbe employer.

Les emplois de ces verbes peuvent être divisés en trois catégories :

– les cas dans lesquels l'emploi de ser est obligatoire

– les cas dans lesquels l'emploi de estar est obligatoire

– les cas dans lesquels on peut employer les deux

On peut résumer ces cas ainsi :

• *Les cas dans lesquels l'emploi de* ser *est obligatoire*

   i) Lorsque le verbe "être" est suivi d'un nom, on doit toujours employer ser, puisqu'un nom fournit toujours au moins une définition partielle de l'objet en question.

Parmi les exemples typiques, il faut signaler les noms indiquant la profession, la nationalité ou l'origine, les noms propres, les tournures exprimant la possession, la matière, l'heure et presque toutes les tournures impersonnelles :

mi padre es minero
mon père est mineur

En espagnol, on considère la profession comme constituant au moins une partie de la "définition" d'une personne. Le fait que votre père puisse un jour perdre son travail et ne plus être alors mineur (ou même que cela puisse être un travail temporaire) n'intervient pas ici :

no somos portugueses, somos españoles
nous ne sommes pas portugais, nous sommes espagnols

España es un país interesante
l'Espagne est un pays intéressant

este coche es de mi madre	la mesa es de madera
cette voiture est à ma mère	*la table est en bois*

¿qué hora es? – son las dos de la tarde
quelle heure est-il ? – il est deux heures de l'après midi

es necesario hacerlo ahora mismo
il est nécessaire de le faire tout de suite

ii) Avec les adjectifs décrivant des caractéristiques essentielles

yo creo que el español es muy fácil de aprender
je crois que l'espagnol est très facile à apprendre

Le fait que certains puissent ne pas être de cet avis, ou que vous puissiez éventuellement changer d'avis plus tard, n'a aucune importance ici. Pour l'instant "facile" fait partie de votre définition de l'espagnol.

Remarquez que la couleur et la taille sont généralement considérées comme des caractéristiques essentielles en espagnol :

la plaza de toros es muy grande	las paredes eran blancas
l'arène est très grande	*les murs étaient blancs*

Il est possible qu'ils soient repeints d'une autre couleur plus tard, mais, pour l'instant, le fait d'être blancs fait partie de leur définition.

Si la couleur n'est pas considérée comme une caractéristique essentielle, on emploiera alors souvent une construction différente (et dans certains cas, un adjectif différent) :

tenía los ojos enrojecidos
elle avait les yeux rouges

mais :

su vestido **era** rojo y su sombrero también
sa robe était rouge, son chapeau aussi

iii) Avec le participe passé pour exprimer le passif en espagnol (pour l'explication de la voix passive, voir pages 16 et 161) :

la cosecha **fue destruida** por las heladas
la récolte a été détruite par les gelées

- *Les cas dans lesquels l'emploi de* estar *est obligatoire*

i) On doit employer estar pour faire référence à la position, permanente ou non, des choses et des personnes. La position d'un objet, toute permanente qu'elle puisse être, n'est pas considérée en espagnol comme faisant partie de sa définition :

estuve en la playa ayer
j'étais à la plage hier

los Pirineos **están** en la frontera entre España y Francia
les Pyrénées sont à la frontière franco-espagnole

Notez que estar s'emploie pour exprimer la position non seulement d'un point de vue physique, mais aussi d'un point de vue moral, etc. – en fait, toute position quelle qu'elle soit :

estamos a favor de las negociaciones
nous sommes en faveur des négociations

estamos en contra de la política del gobierno
nous sommes contre la politique du gouvernement

el problema **está** en el precio
le problème réside dans le prix

ii) On emploie estar avec le participe présent pour former l'aspect progressif en espagnol :

¿qué **estás haciendo**? – **estoy leyendo** una revista española
qu'est-ce que tu fais ? – je lis un magazine espagnol

estábamos viendo la televisión cuando entró
nous regardions la télévision lorsqu'il est entré

iii) On emploie habituellement estar avec des adjectifs servant à exprimer un état d'esprit passager et autres caractéristiques temporaires :

estoy furioso contigo
je suis furieux contre toi

estoy muy cansado, he trabajado mucho hoy
je suis très fatigué, j'ai beaucoup travaillé aujourd'hui

"Être fatigué" ne fait pas partie de votre définition. Vous serez toujours la même personne lorsque vous aurez retrouvé votre énergie.

● *Les cas dans lesquels on peut employer l'un ou l'autre*

Avec de nombreux autres adjectifs, on peut employer soit ser soit estar. Votre choix dépendra de la mesure dans laquelle vous pensez que :

i) l'adjectif définit la chose en question, même si cette définition n'est valable que pendant un court laps de temps, auquel cas vous emploierez ser :

María es muy guapa
María est très jolie

ii) l'adjectif ne fait que décrire une caractéristique de la chose ou de la personne en question, auquel cas vous emploierez estar :

María está muy guapa hoy
María est très jolie aujourd'hui

Comparez :

estás muy pesado hoy *tu es vraiment pénible aujourd'hui*	mi profesor es muy pesado *mon professeur est très pénible*
estás tonto *tu fais l'idiot*	eres tonto *tu es idiot*

Cependant, dans un impératif négatif avec des adjectifs comme pesado et tonto, on n'emploiera que ser :

no seas tonto
ne fais pas l'idiot

En revanche, on emploie estar avec des adjectifs exprimant l'état d'esprit :

no estés furioso
ne sois pas furieux

- *Quelques cas particuliers*

Il existe quelques adjectifs dont la signification change selon qu'ils sont employés avec ser ou estar :

	ser	estar
bueno	*être bon, de bonne qualité*	*être bon, avoir bon goût (nourriture)*
cansado	*être pénible (personne)*	*être fatigué*
consciente	*être conscient (de quelque chose)*	*être conscient (éveillé, pas inconscient)*
grave	*être grave*	*être gravement malade*
listo	*être intelligent*	*être prêt*
malo	*être mauvais, méchant*	*être malade*
moreno	*être brun*	*être bronzé*
pesado	*être lourd*	*être ennuyeux, pénible (personne)*
rico	*être riche*	*être bon (nourriture)*
seguro	*être sûr (pas dangereux)*	*être sûr, certain (personne)*
verde	*être vert (couleur)*	*être vert (pas mûr)*

D'autres modifications sont plus subtiles. Comparez ser viejo (*être vieux*) et estar viejo (*faire vieux*), ser pequeño (*être petit*) et estar pequeño (*être petit pour son âge*).

Remarquez aussi que les Espagnols disent toujours estar contento (*être content*), mais disent soit ser feliz soit estar feliz suivant qu'il s'agit d'une caractéristique essentielle (*être heureux*) ou d'un état d'esprit passager (*être content*).

b) Encontrarse, hallarse, verse, quedar

Encontrarse et hallarse peuvent parfois remplacer estar :

el lago se encuentra detrás de la casa
le lac se trouve derrière la maison

no me encuentro bien hoy
je ne me sens pas bien aujourd'hui

Verse et quedar peuvent tous deux remplacer ser lorsqu'ils sont employés avec un participe passé. Avec obligado, on emploie presque toujours verse de préférence à ser :

el gobierno se vio obligado a retirar su propuesta
le gouvernement a été obligé de retirer sa proposition

la casa quedó completamente destruida
la maison a été complètement détruite

18 Traduction du verbe "faire"

a) *Pour parler du temps qu'il fait*

Dans la plupart des cas, on emploie hacer pour parler du temps qu'il fait :

¿qué tiempo hace?	hace frío/calor
quel temps fait-il ?	*il fait froid/chaud*
hace buen/mal tiempo	hace mucho sol
il fait beau/mauvais temps	*il y a beaucoup de soleil*

Mais dans certains cas, on emploie le verbe haber :

hace/hay mucho viento	hay neblina
il y a beaucoup de vent	*il y a de la brume*
había luna	
c'était une nuit de lune	

Étant donné que l'espagnol emploie ici exclusivement des noms, l'idée de "très"/"beaucoup de" s'exprime à l'aide de mucho à la forme qui convient (ou à l'aide de toute autre locution adjectivale ou adjectif approprié) :

hace mucho calor	está haciendo un frío que pela
il fait très chaud	*il fait un froid de canard*

b) *"Faire" + infinitif*

Cette construction peut se traduire en espagnol de diverses façons :

- Hacer + infinitif, lorsque "faire" équivaut à "obliger" :

  lo hicimos salir por la puerta de atrás
  nous l'avons fait sortir par la porte de derrière

- Mandar + infinitif, lorsqu'on donne un ordre à quelqu'un :

  el dictador mandó detener a los opositores
  le dictateur a fait arrêter les opposants

- *Tournure impersonnelle à la troisième personne du pluriel :*

  le planchan la ropa
  elle fait repasser son linge

  Ici il s'agit d'un travail que l'on fait exécuter par une autre personne, mais sans notion de commandement, contrairement à mandar + infinitif.

- *Autres tournures :*

  he llevado el coche a lavar
  j'ai fait laver ma voiture

  voy a llevarla al médico para que la vea
  je vais la faire examiner par le médecin

c) *"Se faire" + infinitif*

Là encore, plusieurs possibilités :

- Hacerse + *infinitif :*

  se hicieron construir una casa en el campo
  ils se sont fait construire une maison à la campagne

- *Verbe à la forme pronominale :*

  voy a cortarme el pelo
  je vais me faire couper les cheveux

  se operó la semana pasada
  il s'est fait opérer la semaine dernière

- *Tournure impersonnelle à la troisième personne :*

  le echaron del bar
  il s'est fait expulser du bar

d) *Pour parler du temps écoulé :* hace... que

hace media hora que espero aquí
cela fait une demi-heure que j'attends ici

19 Certains verbes transitifs indirects espagnols

a) Un certain nombre de verbes courants qui sont transitifs en
français ont des équivalents transitifs indirects en espagnol.
Parmi ces verbes, les deux les plus fréquemment employés sont
gustar et parecer.

- Gustar

Gustar, qui veut dire littéralement "plaire", s'emploie en espagnol
pour exprimer l'idée d'"aimer" quand on fait référence à des
choses :

a Juan no le gustan estos caramelos
*Juan n'aime pas ces bonbons (littéralement, "ces bonbons ne plaisent
pas à Juan")*

nos gusta mucho la tortilla española
*nous aimons beaucoup la tortilla espagnole (littéralement, "la tortilla
espagnole nous plaît beaucoup")*

Remarquez qu'on ne traduit pas toujours "aimer" par le verbe
gustar, qui est réservé aux choses ou aux personnes qui vous
"plaisent" physiquement. Lorsque l'on fait référence à l'amour
que l'on porte à une personne, on traduit "aimer" par querer ou
amar :

¡ya no me quieres!   te amo
tu ne m'aimes plus !   *je t'aime*

quiere mucho a sus hijos
elle aime beaucoup ses enfants

- Parecer

Parecer, qui veut dire littéralement "sembler", s'emploie fréquemment en espagnol pour exprimer l'idée de "trouver" au sens de
"avoir telle opinion" :

¿qué te parece mi nuevo coche? – me parece estupendo
*qu'est-ce que tu penses de ma nouvelle voiture ? – je trouve qu'elle
est super*

esas ideas me parecen ridículas
je trouve ces idées ridicules

b) Certains verbes sont transitifs indirects dans les deux langues.
   Remarquez que, alors que le verbe français reste invariable,
   l'équivalent espagnol s'accorde avec le sujet :

● Faltar

me faltan diez euros
il me manque dix euros

faltan dos horas
il reste deux heures

Hacer falta s'emploie également dans le même sens :

me hace falta más tiempo
il me faut plus longtemps

me harán falta dos días más
j'aurai besoin de deux jours supplémentaires

● Quedar

¿cuánto dinero te queda?
combien d'argent est-ce qu'il te reste ?

nos quedaban dos horas
il nous restait deux heures

● Sobrar

nos sobra tiempo
nous avons largement le temps

me sobran diez euros
il me reste dix euros

Notez aussi l'expression suivante :

basta y sobra
il y en a largement assez

14 LES PRÉPOSITIONS

A FORMES ET EMPLOI

A

à	destination	voy a la escuela/a casa *je vais à l'école/à la maison*	
	direction	torcieron a la izquierda *ils ont tourné à gauche*	
		¿adónde fuiste? *où es-tu allé ?*	
	situation	llega a Madrid mañana *il arrive à Madrid demain*	
		sentarse a la mesa *s'asseoir à table*	
		la casa se sitúa a cien metros de aquí *la maison est à cent mètres d'ici*	
	temps	comemos a la una *nous mangeons à une heure*	
		se fue a los quince años *il est parti à l'âge de quinze ans*	
	moyen de transport	a pie, a caballo *à pied, à cheval*	
	coût	a un euro cada uno *à un euro pièce*	
par	fréquence	dos veces al día *deux fois par jour*	
pour	but, objectif	salí a comprar pan *je suis sortie pour acheter du pain*	
non traduit	devant un complément de personne (voir page 192)	he visto a Juan *j'ai vu Juan*	

non traduit	temps	al día siguiente murió *il est mort le lendemain*
		a los dos días volvió *il est revenu deux jours plus tard*

ANTE

devant (en présence de)	le llevaron ante el rey *on l'a amené devant le roi*
(face à)	ante tanto trabajo huyó *devant tant de travail, il s'est enfui*

BAJO

sous	lieu	construyeron un túnel bajo el mar *ils ont construit un tunnel sous la mer*
	figuré	bajo el reinado de Felipe II *sous le règne de Philippe II*

CON

avec	association	se fueron con su primo *ils sont partis avec leur cousin*
	moyen	lo cortó con las tijeras *elle l'a coupé avec les ciseaux*
	manière	habló con gran entusiasmo *il a parlé avec beaucoup d'enthousiasme*
à		hablaba con su amigo *il parlait à son ami*
envers/avec	figuré	no seas cruel conmigo *ne sois pas cruel envers/avec moi*

Dans ce dernier sens, con est parfois précédé de para :

> era muy amable para con todos
*il était très gentil avec tout le
monde*

CONTRA

contre	position	se apoyaba contra la pared *il s'appuyait contre le mur*
	opposition	los rebeldes luchaban contra el gobierno *les rebelles luttaient contre le gouvernement*

Dans ce dernier sens, la préposition composée en contra de est souvent utilisée de préférence à contra :

votaron en contra de la ley
ils ont voté contre la loi

DE

de	possession	es el coche de mi hermana *c'est la voiture de ma sœur*
	contenu	un paquete de cigarrillos *un paquet de cigarettes*
	lieu, provenance	es de Londres *il est de Londres*
	cause	está loca de rabia *elle est folle de rage*
	nombre	la distancia es de dos kilómetros *la distance est de deux kilomètres*
		el total era de mil euros *le total était de mille euros*
		un coche de quince mil euros *une voiture de quinze mille euros*
de... à	temps (avec a)	de las dos a las cuatro *de deux heures à quatre heures*
	lieu (avec a)	va de Madrid a Salamanca *il va de Madrid à Salamanque*
en/de	matériaux	el vestido es de lana *la robe est en laine*
		un abrigo de piel *un manteau de fourrure*

à	usage, caractéristique	una cucharilla de café *une cuiller à café*
		un barco de vapor *un bateau à vapeur*
	description	la muchacha de los ojos azules *la fille aux yeux bleus*
		el señor de la barba *le monsieur à la barbe*
	possession	¿de quién son estas gafas? *à qui sont ces lunettes ?*
		este libro es de Matías *ce livre est à Matías*
	avec certains adjectifs	es difícil de entender *c'est difficile à comprendre*
		es imposible de limpiar *c'est impossible à nettoyer*
non traduit	dans des locutions adjectivales	la comida de siempre *la nourriture habituelle*
		se fueron de pequeños *ils sont partis quand ils étaient petits*
		la parte de fuera *la partie extérieure*

DESDE

de	lieu	lo vi llegar desde mi ventana *je l'ai vu venir de ma fenêtre*
depuis	temps	estoy enferma desde el domingo *je suis malade depuis dimanche*
		toca la guitarra desde niño *il joue de la guitare depuis qu'il est petit*
		estudio español desde hace dos años *j'apprends l'espagnol depuis deux ans*

de... à	temps (avec hasta)	desde las dos hasta las cuatro *de deux heures à quatre heures*
	lieu (avec hasta)	desde Madrid hasta Barcelona *de Madrid à Barcelone*

EN

à	position	paró en la puerta *il s'est arrêté à la porte*
		quedarse en casa *rester à la maison*
		lo vimos en la feria de muestras *nous l'avons vu à la foire- exposition*
dans	lieu	está en su habitación *elle est dans sa chambre*
sur	position	el ordenador está en la mesa *l'ordinateur est sur la table*
en	moyen de transport	fuimos a Valladolid en coche *nous sommes allés à Valladolid en voiture*
	nombre	lo dividió en tres partes *il l'a partagé en trois*
	temps	en diciembre *en décembre*
		lo terminé en una hora *je l'ai terminé en une heure*
depuis	temps	no lo he visto en quince días *je ne l'ai pas vu depuis quinze jours*
de	augmentation/ diminution	los precios han aumentado en un diez por ciento *les prix ont augmenté de dix pour cent*

ENTRE

entre	position	entre la puerta y la pared *entre la porte et le mur*

		entre tu y yo *entre toi et moi*
parmi	lieu	lo encontré entre tus papeles *je l'ai trouvé parmi tes papiers*
ensemble	moyen	lo hicimos entre todos *nous l'avons fait ensemble*

HACIA

vers	lieu	fue corriendo hacia su padre *il a couru vers son père*
	temps	hacia las tres *vers trois heures*
envers	figuré	muestra hostilidad hacia el jefe *il manifeste de l'hostilité envers le chef*

HASTA

jusqu'à	temps	hasta el siglo veinte *jusqu'au XXème siècle*
	lieu	te acompaño hasta tu casa *je t'accompagne jusqu'à chez toi*
	nombre	puede haber hasta cien personas *il peut y avoir jusqu'à cent personnes*
même		hasta los niños quieren acom- pañarnos *même les enfants veulent venir avec nous*

INCLUSO

même		incluso mi padre está de acuerdo *même mon père est d'accord*

MEDIANTE

à l'aide de, grâce à		lo consiguió mediante la ayuda de sus amigos *il y est parvenu grâce à l'aide de ses amis*

PARA

pour, afin de	but	salió para lavar el coche *il est sorti pour laver la voiture*
		para cortar la cuerda *pour couper la corde*
		estudió para cura *il a étudié pour devenir curé*
pour	personne, etc.	cuesta demasiado para mí *c'est trop cher pour moi*
		el cálculo no es difícil para ella *le calcul n'est pas difficile pour elle*
	direction	se fueron para Estados Unidos *ils sont partis pour les États-Unis*
	temps	quiero ese trabajo para mañana *je veux ce travail pour demain*
	concession	para ser español, habla muy bien francés *pour un Espagnol, il parle très bien français*
d'ici	temps	para entonces ya me habré marchado *d'ici là je serai parti*
selon	opinion	para él, es una pérdida de tiempo *selon lui, c'est une perte de temps*

POR

par	agent	la reparación fue terminada por el jefe *la réparation a été terminée par le patron*
	lieu	vive por aquí *il habite par ici*
		pasaron por Valencia *ils sont passés par Valence*
		lo echó por la ventana *il l'a jeté par la fenêtre*

	moyen	por mí se informaron sobre el desastre *ils ont appris le désastre par mon intermédiaire*
		por avión, por teléfono *par avion, par téléphone*
	distributif	cien euros por persona *cent euros par personne*
	fréquence	tres veces por semana *trois fois par semaine*
	cause	por amor lo siguió a España *elle l'a suivi en Espagne par amour*
pendant	durée	habló por dos minutos *il a parlé pendant deux minutes*
		ocurrió el robo el domingo por la noche *le cambriolage a eu lieu dimanche pendant la nuit*
dans	lieu	rodaron por las cercanías *ils ont erré dans les environs*
pour	prix	vendió el coche por mil euros *il a vendu la voiture (pour) mille euros*
à	distributif	cincuenta kilómetros por hora *cinquante kilomètres à l'heure*
	(avec estar)	los platos están por lavar *les plats sont encore à laver*
pour, parce que	cause	por no estudiar no aprobó el examen *il a échoué à l'examen parce qu'il n'avait pas étudié*
		lo castigaron por haber mentido *ils l'ont puni pour avoir menti*
fois	multiplication	dos por dos son cuatro *deux fois deux font quatre*
sur le point de	(avec estar)	estoy por salir *je suis sur le point de sortir*

SEGÚN

selon

según él, es peligroso
selon lui c'est dangereux

los precios varían según la época del año
les prix varient selon l'époque de l'année

SIN

sans

continuaremos sin su ayuda
nous continuerons sans votre aide

sin saber
sans savoir

SOBRE

sur	lieu	las tazas están sobre la mesa *les tasses sont sur la table*
	sujet	he leído un artículo sobre la guerra *j'ai lu un article sur la guerre*
au-dessus de	lieu	el avión voló sobre las montañas *l'avion a volé au-dessus des montagnes*
vers	temps	vendrá sobre las siete *il viendra vers sept heures*

TRAS

| *après* | temps | tras una reunión de tres horas *après une réunion de trois heures* |
| | succession | uno tras otro *l'un après l'autre* |

LES PRÉPOSITIONS COMPOSÉES

acerca de	*(au sujet) de*	me habló el jefe acerca del empleado *le patron m'a parlé de l'employé*
a causa de	*à cause de*	no salimos a causa de la tormenta *nous ne sortons pas à cause de la tempête*
a favor de	*en faveur de, pour*	¿estás a favor de la energía nuclear? *es-tu pour l'énergie nucléaire ?*
a fuerza de	*à force de*	lo consiguió terminar a fuerza de trabajar noche y día *il est parvenu à le terminer à force de travailler jour et nuit*
a lo largo de	*tout au long de*	hay flores a lo largo del río *il y a des fleurs tout le long de la rivière*
		a lo largo del mes de agosto *tout au long du mois d'août*
a pesar de	*malgré*	salieron a pasear a pesar de la lluvia *ils sont sortis faire une promenade malgré la pluie*
a por	*(but)*	voy a por hielo *je vais chercher de la glace*
a través de	*à travers, par*	la luz entra a través de la ventana *la lumière entre par la fenêtre*
además de	*ainsi que*	compré pan además de mantequilla *j'ai acheté du pain ainsi que du beurre*
alrededor de	*environ*	gana alrededor de cien euros al día *il gagne environ cent euros par jour*
	autour de	las casas están situadas alrededor de la iglesia *les maisons sont situées autour de l'église*
antes de	*avant (de)* *(temps)*	llámame antes de las tres *appelle-moi avant trois heures*

		antes de entrar dejen salir *laisser les passagers descendre avant de monter*
cerca de	près de (lieu)	la casa está cerca del colegio *la maison est près de l'école*
	(approximation)	tiene cerca de mil ovejas *il a près de mille moutons*
debajo de	sous	se pararon debajo del árbol *ils se sont arrêtés sous l'arbre*
delante de	devant	el coche se detuvo delante del hotel *la voiture s'est arrêtée devant l'hôtel*
dentro de	dans (position)	encontró un regalo dentro del paquete *elle a trouvé un cadeau dans le paquet*
	(temps)	nos vamos dentro de dos semanas *nous partons dans deux semaines*
después de	après	salió después de terminar su tra- bajo *il est sorti après avoir fini son travail*
		después de las dos *après deux heures*
		después de todo *après tout*
detrás de	derrière	el bar se encuentra detrás del mercado *le bar se trouve derrière le marché*
en lugar de/ en vez de	au lieu de	en lugar de telefonear, les escribió *il leur a écrit au lieu de leur télé- phoner*
en medio de	au milieu de	paró en medio de la plaza *il s'est arrêté au milieu de la place*
encima de	sur	colocó el vaso encima de la mesa *elle a mis le verre sur la table*
enfrente de	en face de	la iglesia está enfrente del ayun- tamiento *l'église est en face de la mairie*

fuera de	à part	fuera de los de al lado, no conozco a nadie *à part mes voisins d'à côté, je ne connais personne*
	en dehors de	la granja está situada fuera de la aldea *la ferme est en dehors du village*
lejos de	loin de	la iglesia no está lejos de la escuela *l'église n'est pas loin de l'école*
		lejos de acatar la ley... *loin de respecter la loi...*
por medio de	par (le biais de)	consiguió obtener el dinero por medio de un embuste *il a réussi à obtenir l'argent par la ruse*

B "A" DEVANT LE COMPLÉMENT D'OBJET DIRECT

Si le complément d'objet direct d'un verbe est une personne en particulier ou un groupe de personnes bien défini, il est primordial de le faire précéder en espagnol de la préposition a.

Il convient de bien comprendre que ce a ne transforme pas le complément d'objet direct en un complément d'objet indirect. Ce a ne se traduit pas en français :

veo a mi hermano
je vois mon frère

encontré a mi amiga Luisa
j'ai rencontré mon amie Luisa

Si le complément d'objet direct est une personne, mais pas une personne en particulier, on n'emploie pas le a :

buscamos un médico
nous cherchons un médecin

Il ne s'agit pas d'un médecin en particulier, mais de n'importe quel médecin.

La préposition a s'emploie aussi avec certains pronoms se rapportant aux personnes, même s'il ne s'agit pas de personnes en particulier :

conozco a alguien que puede ayudarte
je connais quelqu'un qui peut t'aider

La préposition a s'emploie aussi avec les animaux, si l'on fait référence à un animal en particulier :

llevé a mi perro a dar un paseo
j'ai sorti mon chien

C NE CONFONDEZ PAS...

Il convient d'insister sur certains couples ou groupes de prépositions qui, si on les confond, peuvent être source d'erreur.

1 Por et para

De façon générale, on peut dire que por fait référence à la cause, tandis que para fait référence au but, à la destination. Cependant, les deux peuvent servir à traduire "pour", c'est pourquoi il faut être prudent.

Les brefs exemples suivants, qui se traduisent tous les deux par "je le fais pour mon frère", permettront de préciser la différence :

lo hago por mi hermano

Dans cet exemple, mi hermano est la **cause** de l'action : celle-ci est effectuée **parce que** le frère du locuteur lui a demandé de faire quelque chose, l'a obligé à le faire, avait besoin d'aide, etc.

lo hago para mi hermano

Mi hermano est ici le **destinataire**, le bénéficiaire de l'action : celle-ci est effectuée **dans le but** de rendre service au frère, de lui assurer un avantage, etc.

De même la question ¿por qué hiciste esto? demande une explication quant à ce qui a provoqué l'action (réponse : porque me lo pidió Ana, porque me daba la gana, etc.), tandis que la question ¿para qué hiciste esto? demande une explication concernant l'intention (réponse : para ayudar a mi madre, para que me dejaran tranquilo, etc.). Les deux se traduisent par "pourquoi as-tu fait cela ?".

Autres exemples mettant en évidence la différence entre por et para (remarquez que, bien que les notions de base restent les mêmes, "pour" n'est pas toujours la meilleure traduction en français) :

lo hice **por** necesidad
je l'ai fait par nécessité

cometió el error **por** cansancio
il a fait cette erreur à cause de la fatigue

lo dejaron **para** otro día
elles ont laissé cela pour un autre jour

estamos estudiando **para** un examen
nous étudions en vue d'un examen

a) *On utilise toujours por :*

- pour exprimer une idée d'échange :

  pagué cien euros **por** esta radio
  j'ai payé cette radio cent euros

  voy a cambiar este libro **por** otro
  je vais échanger ce livre contre un autre

- pour introduire la personne ou la chose (l'agent) par laquelle l'action a été faite (voix passive) :

  el edificio fue inaugurado **por** el rey Juan Carlos
  l'édifice a été inauguré par le roi Juan Carlos

- dans les expressions de temps, où il se traduit par "pendant" ou "pour" :

  ¿me dejas tu bici **por** un par de días?
  tu me prêtes ton vélo pour deux ou trois jours ?

b) *On utilise toujours para :*

- pour dire "en ce qui concerne", "du point de vue de" :

  este libro es demasiado difícil **para** mí
  ce livre est trop difficile pour moi

  tal situación sería inaceptable **para** España
  une telle situation serait inacceptable pour l'Espagne

- pour dire "avant", "d'ici à" :

  necesitamos las mercancías **para** finales de octubre
  il nous faut les marchandises d'ici fin octobre

2 A et en

De façon générale, a indique un mouvement **vers** une chose ou un lieu, tandis que en indique l'emplacement **dans** ou **sur** une chose ou un endroit. La différence est généralement claire en français, mais des difficultés peuvent se présenter lorsqu'il s'agit de traduire la préposition "à" :

voy a París
je vais à Paris

tengo que encontrar a Juan en París
je dois voir Juan à Paris

Juan está en casa
Juan est à la maison

vi este ordenador en la feria de muestras
j'ai vu cet ordinateur à la foire-exposition

3 Antes de, delante de, ante

Antes de fait le plus souvent référence à la notion de temps :

llegamos antes de medianoche
nous sommes arrivés avant minuit

En espagnol de tous les jours, antes de peut faire référence au lieu (l'idée de "avant d'arriver à" reste sous-entendue) :

la iglesia está antes del cruce
l'église est avant le carrefour

Delante de fait référence à l'emplacement :

el buzón está delante de Correos
la boîte à lettres est devant la poste

Ante fait référence à la position du point de vue psychologique et s'utilise le plus souvent avec des noms exprimant une notion abstraite. Ante exprime plus ou moins la même idée que "devant" utilisé dans ce contexte en français, ou que l'expression "face à" :

el gobierno no sabía cómo reaccionar ante este problema
le gouvernement ne savait pas comment réagir face à/devant ce problème

Il existe quelques expressions toutes faites dans lesquelles ante peut faire référence à l'emplacement, mais celles-ci sont très peu nombreuses et se rapportent souvent à un contexte légal :

compareció ante el juez
elle a comparu devant le juge

15 LES CONJONCTIONS

A FORMES

1 Les conjonctions simples

Les conjonctions simples consistent en un mot unique. Les plus courantes sont les suivantes :

aunque	*bien que, même si*
como	*comme (raison)*
conforme	*à mesure que*
conque	*alors, donc*
cuando	*quand, lorsque*
e	*et*
mas*	*mais*
mientras	*pendant que, tandis que*
ni	*ni*
o	*ou*
pero	*mais*
porque	*parce que*
pues	*puisque*
que	*que/car*
según	*selon ce que/à mesure que*
si	*si*
u	*ou*
y	*et*

*Mas est de nos jours réservé à un niveau de langue soutenu, le mot courant signifiant "mais" étant pero.

aunque viven en el campo, van mucho al cine y al teatro
bien qu'ils vivent à la campagne, ils vont beaucoup au cinéma et au théâtre

le gustaría trabajar aunque no ganase mucho dinero
elle voudrait travailler même si elle ne gagne pas beaucoup d'argent

contestaremos a las cartas conforme/según las vayamos recibiendo
nous répondrons aux lettres à mesure que nous les recevrons

¡ya hay bastante ruido, conque no empieces a gritar tú también!
il y a déjà assez de bruit, alors ne commence pas à crier toi aussi !

los niños jugaban mientras su madre se ocupaba de la casa
les enfants jouaient pendant que leur mère s'occupait de la maison

ya sabes que no es posible
tu sais bien que ce n'est pas possible

¡no grites tanto, que ya te oigo!
ne crie pas comme ça, je ne suis pas sourd !

según me contaron, se van a casar
d'après ce qu'on m'a dit, ils vont se marier

2 Les conjonctions composées

Ces conjonctions consistent en deux mots ou plus, le dernier
étant généralement que :

a condición de que	*à condition que*
a fin de que	*afin que*
a medida que	*à mesure que*
a menos que	*à moins que*
a no ser que	*à moins que*
a pesar de que	*bien que*
antes de que	*avant que*
así como	*de même que*
así que	*de sorte que, alors*
aun cuando	*quand bien même*
con tal que	*pourvu que, à condition que*
dado que	*étant donné que*
de manera que	*si bien que, de sorte que*
de modo que	*si bien que, de sorte que*
desde que	*depuis que*
después de que	*après que*
en caso de que	*au cas où*
en cuanto	*dès que, aussitôt que*
es decir	*c'est-à-dire, autrement dit*
hasta que	*jusqu'à ce que*
mientras que	*tandis que, alors que (opposition)*
mientras tanto	*pendant ce temps*
no obstante	*cependant, toutefois*
o sea	*c'est-à-dire, autrement dit*
para que	*pour que*
por consiguiente	*par conséquent*
por lo tanto	*par conséquent*
por si	*au cas où*
puesto que	*puisque*
salvo que	*sauf que, si ce n'est que/sauf si*
siempre que	*du moment que, pourvu que/chaque fois que*

sin embargo	*cependant, toutefois*
tan pronto como	*dès que, aussitôt que*
ya que	*puisque*

puedes intentarlo a condición de que/con tal de que/siempre que seas muy prudente
tu peux toujours essayer à condition d'être très prudent

a fin de que la producción aumente, el director ha contratado a más obreros
afin d'augmenter la production, le directeur a embauché plus d'ouvriers

pararemos ahora, a menos que/a no ser que tú quieras seguir un poco
on va arrêter, à moins que tu ne veuilles continuer un peu

lo hizo a pesar de que se lo habían prohibido sus padres
il l'a fait bien que ses parents le lui aient interdit

¡corre antes de que llegue el profesor!
échappe-toi avant que le professeur n'arrive !

hoy estoy sola, así que si quieres podemos salir
aujourd'hui je suis seule, alors si tu veux on peut sortir

llama en cuanto llegues
appelle dès que tu arriveras

no se habían entrenado ; no obstante/sin embargo, ganaron la carrera
ils ne s'étaient pas entraînés ; cependant, ils ont gagné la course

tengo que irme – ¿o sea que no podrás acudir a la reunión?
il faut que j'y aille – autrement dit tu ne pourras pas venir à la réunion ?

llévate el paraguas por si llueve
emporte ton parapluie au cas où il pleuvrait

iremos de excursión, salvo que llueva
nous ferons une excursion, sauf s'il pleut

siempre que la llamo, me cuenta su vida
chaque fois que je l'appelle, elle me raconte sa vie

tan pronto como lleguemos, iremos al restaurante
dès que nous arriverons nous irons au restaurant

ya que estás de pie, pásame un plato, por favor
puisque tu es debout, passe-moi une assiette, s'il te plaît

3 Les conjonctions de corrélation

Les conjonctions de corrélation marchent par paires et sont employées pour relier deux idées étroitement associées :

apenas... (cuando)	à peine... que
bien... bien	soit... soit, ou... ou
ni... ni	ni... ni
no... pero sí	ne... pas... mais
no... sino	non pas... mais
no sólo... sino que también	non seulement... mais en plus
o (bien)... o (bien)	soit... soit, ou... ou
(ya sea... (ya) sea/o	soit... soit, que ce soit... ou
tanto... como	tant... que

apenas habíamos empezado a comer, cuando sonó el teléfono
nous avions à peine commencé à manger que le téléphone a sonné

puedes explicárselo bien al director, bien a la secretaria
tu peux l'expliquer soit au directeur, soit à la secrétaire

no están contentos ni los sindicatos ni los empresarios
ni les syndicats, ni les employeurs ne sont contents

este coche no es rápido, pero sí que es fiable
cette voiture ne va pas vite, mais elle est fiable

no se llama Pedro, sino Pietro
il ne s'appelle pas Pedro mais Pietro

no sólo me insultaron, sino que también me golpearon
non seulement ils m'ont insulté, mais en plus ils m'ont frappé

¡o lo haces o me voy!
ou tu le fais, ou je m'en vais !

ganaremos, ya sea con el equipo de siempre o con nuevos jugadores
nous gagnerons, que ce soit avec l'équipe habituelle ou avec de nouveaux joueurs

tanto tú como yo
toi comme moi

B EMPLOI

1 Les conjonctions y et e

E remplace y devant un mot commençant par i ou hi :

María e Isabel son hermanas
María et Isabel sont sœurs

2 Les conjonctions o et u

U remplace o devant un mot commençant par o ou ho :

¿sabes si van a venir Teresa u Óscar?
sais-tu si Teresa ou Óscar vont venir ?

Dans la presse espagnole, o est souvent écrit ó lorsqu'il relie des chiffres afin d'éviter toute confusion avec le chiffre o :

60 ó 70
60 ou 70

3 No... sino

Sino s'oppose à une négation précédemment exprimée, là où le français emploie "mais".

Attention donc à ne jamais traduire "non pas... mais" par no... pero.

Voir aussi la négation d'une affirmation précédente pages 237-8.

4 Que

Outre l'emploi élémentaire de que en tant que conjonction de subordination (ya sabes que no es posible ; espero que te repongas pronto), il peut également s'employer avec une valeur causale, comme dans ¡no grites tanto, que ya te oigo!

5 Salvo que

salvo que + indicatif = *sauf que, si ce n'est que*

salvo que + subjonctif = *sauf si*

Comme toujours en espagnol, l'emploi du subjonctif indique une condition qui n'est pas (encore) réalisée (salvo que llueva = *sauf s'il pleut* = on ne sait pas s'il pleuvra), tandis que l'indicatif s'applique à une situation déjà établie (salvo que no tengo dinero = *sauf que je n'ai pas d'argent* = je n'ai effectivement pas d'argent).

6 Subjonctif ou indicatif ?

La même règle s'applique aux conjonctions qu'aux autres éléments de la phrase espagnole : elles sont suivies de l'indicatif si elles introduisent un fait constaté, et du subjonctif si elles introduisent une condition qui n'est pas (encore) réalisée.

Ainsi, toutes les conjonctions temporelles suivies d'un futur en français seront suivies d'un subjonctif en espagnol puisque les situations qu'elles introduisent ne sont pas (encore) réalisées ; c'est le cas de antes de que, hasta que, etc. C'est également le cas de cuando lorsqu'il introduit un futur en français (mais pas dans les autres cas, tels que cuando vamos de vacaciones, dejamos a los niños en casa de mis padres *quand nous partons en vacances, nous laissons les enfants chez mes parents*).

De même, les conjonctions introduisant une condition (aun cuando, con tal de que, etc.) ou une finalité (para que, a fin de que) sont toujours suivies du subjonctif.

En revanche, les propositions causales introduites par des conjonctions telles que porque, dado que, ya que, etc., ont un verbe à l'indicatif, la cause étant un événement dont l'existence est établie.

Même chose pour les conjonctions introduisant une conséquence (por consiguiente, por lo tanto, etc.).

Pour l'emploi de l'indicatif ou du subjonctif après aunque, voir pages 235-6.

16 LES NOMBRES, LA DATE, L'HEURE, ETC.

A FORMES

1 Les nombres cardinaux

0	cero	31	treinta y uno/una
1	uno, una, un	32	treinta y dos
2	dos	40	cuarenta
3	tres	41	cuarenta y uno/
4	cuatro		una
5	cinco	42	cuarenta y dos
6	seis	50	cincuenta
7	siete	60	sesenta
8	ocho	70	setenta
9	nueve	80	ochenta
10	diez	90	noventa
11	once	100	ciento, cien
12	doce	101	ciento uno/una
13	trece	102	ciento dos
14	catorce	110	ciento diez
15	quince	120	ciento veinte
16	dieciséis	121	ciento veinti-
17	diecisiete		uno/a
18	dieciocho	122	ciento veintidós
19	diecinueve	130	ciento treinta
20	veinte	131	ciento treinta y
21	veintiuno/a		uno/una
22	veintidós	132	ciento treinta y
23	veintitrés		dos
24	veinticuatro	150	ciento cincuenta
25	veinticinco	200	doscientos/as
26	veintiséis	201	doscientos/as
27	veintisiete		uno/una
28	veintiocho	202	doscientos/as dos
29	veintinueve	300	trescientos/as
30	treinta	400	cuatrocientos/as

500	quinientos/as	5000	cinco mil
600	seiscientos/as	6000	seis mil
700	setecientos/as	7000	siete mil
800	ochocientos/as	8000	ocho mil
900	novecientos/as	9000	nueve mil
1000	mil	10000	diez mil
1001	mil uno/una	200 000	doscientos mil
1002	mil dos	300 000	trescientos mil
2000	dos mil	600 000	seiscientos mil
3000	tres mil	1 000 000	un millón
4000	cuatro mil	2 000 000	dos millones

a) *Autres formes*

Il existe d'autres formes pour les nombres de 16 à 19 ; celles-ci s'écrivent en trois mots distincts :

diez y seis, diez y siete, diez y ocho, diez y nueve

Il convient toutefois de préciser que ces formes sont maintenant rarement employées.

b) *Emploi de* y

La conjonction y est toujours présente entre les dizaines et les unités (sauf dans les formes contractées dieciséis, diecisiete, dieciocho, diecinueve, veintiuno, etc.).

Mais après les centaines et les milliers, il n'y a jamais de conjonction :

ciento dos años	tres mil cinco personas
cent deux ans	*trois mille cinq personnes*

c) *L'apocope de certains nombres*

Uno devient un lorsqu'il est suivi d'un nom masculin ou d'un adjectif + nom masculin :

treinta y un meses	doscientos un días
trente et un mois	*deux cent un jours*

Ciento devient cien lorsqu'il est suivi d'un nom, d'un adjectif + nom, ou des numéraux mil et millones:

cien panes	cien buenos días
cent pains	*cent bons jours*

cien mil hojas   cien millones de euros
cent mille feuilles   *cent millions d'euros*

d) *Les accords*

Les nombres cardinaux sont invariables sauf les centaines à partir de 200 et les nombres se terminant par -uno :

doscientas personas   quinientos cincuenta euros
deux cents personnes   *cinq cent cinquante euros*

veintiuna páginas   ciento una cosas
vingt et une pages   *cent une choses*

Remarquez que les nombres cardinaux qui se terminent par -uno ne s'accordent qu'en genre.

e) *Les accents*

Des accents écrits sont nécessaires pour les nombres suivants :

veintidós   veintitrés

veintiséis   veintiún años
          vingt et un ans

ainsi que pour :

dieciséis

f) On arrête de compter par centaines à 900 ; l'équivalent de "onze cents" ou "douze cents" n'existe donc pas en espagnol :

1966   mil novecientos sesenta y seis
          mille neuf cent soixante-six/dix-neuf cent soixante-six

1200 euros   mil doscientos euros
          mille deux cents euros/douze cents euros

2 Les nombres ordinaux

primero/a	*premier/ère*	sexto/a	*sixième*
segundo/a	*deuxième*	séptimo/a	*septième*
tercero/a	*troisième*	octavo/a	*huitième*
cuarto/a	*quatrième*	noveno/a	*neuvième*
quinto/a	*cinquième*	décimo/a	*dixième*

a) Les nombres ordinaux sont des adjectifs et, en tant que tels, s'accordent avec les noms auxquels ils se rapportent, comme en français :

la segunda casa	la séptima semana
la deuxième maison	*la septième semaine*

b) **Primero** et **tercero** deviennent **primer** et **tercer** avant un nom masculin singulier :

el primer tren	el tercer coche
le premier train	*la troisième voiture*

3 Les jours, les mois et les saisons

Les jours de la semaine :

el lunes	*lundi*	el viernes	*vendredi*
el martes	*mardi*	el sábado	*samedi*
el miércoles	*mercredi*	el domingo	*dimanche*
el jueves	*jeudi*		

Les mois :

enero	*janvier*	julio	*juillet*
febrero	*février*	agosto	*août*
marzo	*mars*	se(p)tiembre	*septembre*
abril	*avril*	octubre	*octobre*
mayo	*mai*	noviembre	*novembre*
junio	*juin*	diciembre	*décembre*

Les saisons :

la primavera	*le printemps*	el otoño	*l'automne*
el verano	*l'été*	el invierno	*l'hiver*

B EMPLOI

1 Les nombres cardinaux

Remarquez que, bien que la plupart des nombres soient invariables (c'est-à-dire que leurs formes ne changent jamais), **uno** et toutes les centaines de 200 à 900 compris prennent la marque du féminin. C'est une faute très répandue que de ne pas faire l'accord pour ces centaines :

acudieron **doscientas** personas
deux cents personnes sont venues

Uno s'accorde aussi en genre lorsqu'il fait partie d'un nombre composé, comme c'est le cas pour "un" en français :

veintiun**a** faltas de ortografía
vingt et une fautes d'orthographe

(On entend parfois dire veintiuna falta en espagnol de tous les
jours, mais il s'agit là d'un usage à ne pas imiter).

Remarque :

Il n'y a pas d'équivalent espagnol pour le nom français "milliard". On traduit "milliard" en espagnol par mil millones.
Attention : le mot espagnol millar signifie "millier".

el gobierno invertirá mil millones de euros
le gouvernement investira un milliard d'euros

Le mot millardo a été récemment introduit mais les Espagnols
préfèrent utiliser mil millones.

2 Les nombres ordinaux

Ceux-ci sont rarement employés au-delà de décimo, et sont alors
souvent remplacés par des nombres cardinaux qui se placent
après le nom :

vivo en el tercer piso
j'habite au troisième étage

mais :

vivía en el piso doce   en el siglo veinte
j'habitais au douzième étage   *au vingtième siècle*

3 Pour exprimer des quantités approximatives

On exprime un nombre approximatif pour n'importe quel multi-
ple de dix, en supprimant la dernière voyelle et en y ajoutant le
suffixe -ena. Cependant, ces nombres sont d'un emploi très rare
au-delà de 40 :

una veintena de muchachos
une vingtaine de garçons

Certains autres nombres, également formés de cette façon, sont
devenus des noms à part entière en espagnol, comme en
français :

una docena   una quincena
une douzaine   *une quinzaine de jours*

Les formes correspondantes de ciento et mil sont centenar et millar, bien que l'on puisse aussi employer cientos et miles :

vinieron millares/miles de hinchas
des milliers de fans sont venus

Attention : c'est une faute fréquente que de traduire millar par "milliard" en français.

Les nombres approximatifs peuvent aussi s'exprimer à l'aide de divers termes comme en torno a, alrededor de, aproximadamente, más o menos, ou l'article du pluriel unos (a eso de n'est employé que pour faire référence à l'heure) :

había aproximadamente cincuenta personas en la sala
il y avait une cinquantaine de personnes dans la pièce

llegaron unos diez hombres *une dizaine d'hommes sont arrivés*	tardé unas tres horas *cela m'a pris environ trois heures*

Notez aussi les tournures suivantes :

se lo dije hasta veinte veces *j'ai bien dû le lui dire vingt fois*	por lo menos doscientos *au moins deux cents*
cuarenta y tantos *une quarantaine*	unos pocos, unos cuantos *quelques, quelques-uns*

4 Les fractions et les nombres décimaux

a) *Les fractions*

On n'emploie aucun article devant l'adjectif medio :

esperamos ø media hora
nous avons attendu pendant une demi-heure

Notez que medio s'accorde en genre avec le nom auquel il se rattache :

dos horas y media
deux heures et demie

seis millones y medio de turistas franceses
six millions et demi de touristes français

b) *Les nombres décimaux*

Comme en français, on indique en espagnol la fraction décimale à l'aide d'une virgule :

dos coma siete por ciento (2,7 %)
deux virgule sept pour cent

À l'oral, le mot coma est souvent remplacé par con :

cinco con cuatro millones (5,4 millones)
cinq virgule quatre millions

5 L'heure

On exprime l'heure de la façon suivante :

¿qué hora es?	es la una
quelle heure est-il ?	*il est une heure*
son las tres	son las diez
il est trois heures	*il est dix heures*

On emploie les articles définis au féminin parce que les mots
hora ou horas sont sous-entendus.

On indique les minutes de la façon suivante :

son las tres y cinco	*il est trois heures cinq*
son las siete y cuarto	*il est sept heures un quart*
son las ocho y veinticinco	*il est huit heures vingt-cinq*
son las once y media	*il est onze heures et demie*
es la una menos diez	*il est une heure moins dix*
son las cuatro menos cuarto	*il est quatre heures moins le quart*

"À" se traduit par a :

a mediodía, a medianoche	*à midi, à minuit*
a las seis y diez	*à six heures dix*

Notez également les expressions suivantes :

a las diez en punto	*à dix heures pile*
a eso de las ocho	*vers huit heures*
a las tres y pico	*peu après trois heures*
¿qué hora tienes?	*quelle heure as-tu ?*
tengo las ocho	*il est huit heures (à ma montre)*
daban las diez	*dix heures sonnaient*

Afin de préciser l'heure, la journée est divisée en sections :

la madrugada	*de minuit à l'aube*
la mañana	*de l'aube à midi*
el mediodía	*de midi au début de l'après-midi*
la tarde	*du début de l'après-midi à la tombée de la nuit*
la noche	*de la tombée de la nuit à minuit*

Madrugada peut être remplacé par mañana. L'emploi de madrugada sert à insister sur le fait que le locuteur considère qu'il est très tôt le matin ou très tard dans la nuit :

me levanté/me acosté a las dos de la madrugada
je me suis levé/je me suis couché à deux heures du matin

a las tres de la madrugada	*à trois heures du matin*
a las diez de la mañana	*à dix heures du matin*
a la una del mediodía	*à une heure de l'après-midi*
a las cinco de la tarde	*à cinq heures de l'après-midi*
a las diez de la noche	*à dix heures du soir*

Pour indiquer des horaires (de train, d'autobus, etc.), ainsi que dans les annonces de nature officielle, on emploie aussi les heures de 13 à 24, mais ce n'est pas le cas dans la conversation courante :

a las quince treinta y cinco
à quinze heures trente-cinq

Si l'on ne spécifie pas l'heure, on peut indiquer le moment de la journée en employant la préposition por :

salieron por la mañana
ils sont sortis ce/le matin

volveremos por la tarde
nous reviendrons cet/l'après-midi

Notez aussi :

anoche	*hier soir, la nuit dernière*
ayer	*hier*
antes de ayer/anteayer	*avant-hier*
mañana	*demain*
pasado mañana	*après-demain*
ayer por la mañana	*hier matin*
mañana por la noche	*demain soir*
dos veces por hora	*deux fois par heure*
ochenta kilómetros por hora	*quatre-vingts kilomètres à l'heure*

6 Les jours de la semaine

Voir page 206 la liste des jours, des mois et des saisons.

En espagnol, pour parler d'un jour en particulier, on emploie l'article défini masculin au singulier. Pour traduire l'idée de "tous les" on emploie l'article défini masculin au pluriel :

fuimos al cine el sábado
nous sommes allées au cinéma samedi

vamos a la playa los domingos
nous allons à la plage le dimanche

el lunes por la mañana	los lunes por la mañana
lundi matin	*le lundi matin*

Notez aussi :

el miércoles pasado	el sábado que viene
mercredi dernier	*samedi prochain*
dos veces al día	cinco veces a la semana
deux fois par jour	*cinq fois par semaine*

7 La date

"Le premier..." peut se traduire par el primero de... ou el uno de...
Toutes les autres dates ne s'expriment qu'à l'aide du nombre cardinal qui convient.

"Le..." se traduit simplement par l'article défini masculin, ou en faisant précéder le nombre de el día, sauf au début d'une lettre, où l'on ne met pas d'article :

¿a cuántos estamos hoy?/¿a qué día del mes estamos?/¿qué día es hoy?
quelle est la date d'aujourd'hui ?/le combien sommes-nous aujourd'hui ?

hoy estamos a dos	salieron el día 9
aujourd'hui, nous sommes le deux	*ils sont partis le 9*

llegaremos el 12 de febrero
nous arriverons le 12 février

Lorsque l'on écrit la date en toutes lettres, le mois et l'année sont introduits par de :

el quince de octubre de mil ochocientos ochenta y ocho
le quinze octobre mille huit cent quatre-vingt-huit

Notez aussi les tournures suivantes :

el siglo veinte	el siglo dieciocho
le vingtième siècle	*le dix-huitième siècle*
en los años treinta	la España de los años ochenta
dans les années trente	*l'Espagne des années quatre-vingts*

a principios/primeros de enero
(au) début janvier

a mediados de marzo
à la mi-mars

a finales/fines de octubre
(à la) fin octobre

en lo que va de año
jusqu'à présent cette année

a lo largo del año
tout au long de l'année

dos veces al mes
deux fois par mois

cuatro veces al año
quatre fois par an

8 Les saisons

Comme en français, les noms de saisons sont précédés de l'article défini, sauf si l'on emploie la préposition **en** :

la primavera es muy agradable en España
le printemps est très agréable en Espagne

iremos a España en otoño
nous irons en Espagne en automne

9 L'âge

L'âge s'exprime de la façon suivante :

¿cuántos años tienes?
quel âge as-tu ?

¿qué edad tiene tu hermano?
quel âge a ton frère ?

tengo diecisiete años
j'ai dix-sept ans

Notez les expressions suivantes :

ronda los cuarenta
elle a la quarantaine

hoy cumplo veinte años
j'ai vingt ans aujourd'hui

la juventud
la jeunesse, les jeunes

la tercera edad
le troisième âge

10 Quelques expressions de temps

hoy en día, hoy día
hoy por hoy
en la actualidad
a corto/medio/largo plazo
hace diez años
diez años antes
a partir de ahora

actuellement, de nos jours
de nos jours
à l'heure actuelle
à court/moyen/long terme
il y a dix ans
dix ans plus tôt
à partir de maintenant

de aquí/de hoy en adelante	*à partir de maintenant, dorénavant*
en el futuro	*à l'avenir*
en el porvenir	*à l'avenir*
en lo sucesivo *(langage soutenu)*	*à l'avenir*
en lo venidero *(langage soutenu)*	*à l'avenir*
en los años venideros	*dans les années à venir*
al día siguiente	*le lendemain*
la próxima semana/la semana que viene	*la semaine prochaine*
la semana pasada	*la semaine dernière*
la semana siguiente	*la semaine suivante*
la semana anterior	*la semaine précédente*

11 Les prix

Comme en français, le prix pour une quantité donnée s'exprime à l'aide de l'article défini :

este vino cuesta dos euros el litro
ce vin coûte deux euros le litre

lo vendían a diez euros el kilo
ils le vendaient dix euros le kilo

Notez aussi les tournures suivantes :

¿cuánto cuestan/valen las manzanas?
¿a cómo se venden las manzanas?
combien coûtent les pommes ?

12 Les mesures

On exprime les mesures en employant soit l'adjectif, soit le nom correspondant à la mesure en question (longueur, hauteur, largeur, etc.) :

¿cuál es la altura del muro?
combien le mur fait-il de hauteur ?

el muro tiene dos metros de alto/altura
le mur fait deux mètres de haut

la calle tiene cien metros de largo/longitud
la rue fait cent mètres de long

Notez aussi les tournures suivantes :

¿cuánto pesas?   **¿cuánto mides?**
combien est-ce que tu pèses ?   *combien est-ce que tu mesures ?*

mide casi dos metros
il mesure presque deux mètres

tiene una superficie de cien metros cuadrados
cela fait cent mètres carrés de superficie

tiene una capacidad de dos metros cúbicos
cela a une capacité de deux mètres cubes

On introduit toujours la distance par la préposition a :

¿a qué distancia está la playa?
à quelle distance se trouve la plage ?

a unos cinco kilómetros
à cinq kilomètres à peu près

13 Les pourcentages

Les pourcentages en espagnol sont toujours précédés d'un article défini ou indéfini. Que l'on emploie l'un ou l'autre ne change rien au sens de la phrase :

la inflación ha aumentado en un diez por ciento
l'inflation a augmenté de dix pour cent

el treinta por ciento de la personas entrevistadas no contestó
trente pour cent des personnes interrogées n'ont pas répondu

En espagnol, on écrit généralement les pourcentages de la façon suivante : 76% ou 76 por ciento.

100% se dit presque toujours cien por cien.

Le pourcentage en fonction duquel un chiffre augmente ou diminue est introduit en espagnol par la préposition en (voir le premier exemple ci-dessus). Voici les verbes les plus fréquemment employés dans ce contexte :

Augmentation :

aumentar, incrementar, crecer, subir

Diminution :

caer, bajar, reducir(se)

hemos reducido nuestros precios en un 15%
nous avons baissé nos prix de 15%

Si l'augmentation ou la diminution ne sont pas exprimées à l'aide d'un pourcentage, on n'emploie généralement pas de préposition :

los precios han bajado treinta céntimos
les prix ont baissé de trente centimes

17 LA STRUCTURE DE LA PHRASE

Il ne faut pas confondre la structure de la phrase avec l'ordre des mots. L'expression "structure de la phrase" fait référence à la place occupée par les différentes **parties qui forment la phrase**, et non à la place de chaque mot. Chacune de ces parties peut se composer de plusieurs mots.

Par exemple dans une phrase comme :

el padre del amigo de mi hermano | trabaja | en Santander
le père de l'ami de mon frère travaille à Santander

les mots el padre del amigo de mi hermano forment ensemble le sujet du verbe trabaja. Le verbe, lui, occupe la deuxième place dans la phrase bien qu'il soit en fait le huitième mot de la phrase.

Les éléments les plus importants de toute phrase quelle qu'elle soit sont : le verbe, le sujet du verbe (la personne ou la chose qui fait l'action exprimée par le verbe) et le complément d'objet ou le complément circonstanciel.

Un verbe transitif est un verbe qui peut prendre un complément d'objet. Un verbe intransitif ne peut pas avoir de complément d'objet mais il peut être suivi d'un complément circonstanciel ou d'un attribut.

Il y a bien sûr d'autre éléments (les adverbes, les locutions prépositionnelles, etc.) mais ceux-ci sont moins importants et ne seront pas abordés dans ce chapitre.

1 La structure de la phrase française

Bien que des variations soient possibles, pour des raisons stylistiques notamment, la phrase française typique suit l'ordre sujet – verbe – complément d'objet/complément circonstanciel/attribut ; par exemple : "les garçons | regardent | la télévision", "l'espagnol | est | facile", etc.

2 La structure de la phrase espagnole

La structure de la phrase est **beaucoup plus souple** en espagnol qu'en français. Ceci ne veut pas dire que l'ordre sujet – verbe – complément d'objet/complément circonstanciel soit rare en espagnol. Au contraire, il s'agit probablement de la structure la plus fréquemment employée en espagnol parlé.

Cependant, c'est là une structure nettement plus dominante en français qu'en espagnol, et un Espagnol placera très souvent le verbe devant le sujet et mettra aussi parfois le complément d'objet devant le verbe.

Il existe peu de règles régissant la structure des phrases en espagnol, mais de façon générale on peut dire que :

- On place un élément vers le début de la phrase pour le mettre en relief ; la toute première place dans la phrase est bien entendu celle qui permet de marquer la plus grande insistance.

- Il est rare que le verbe n'occupe pas la première ou la deuxième place dans la phrase.

Un locuteur espagnol peut choisir telle ou telle structure afin de mettre en relief un élément particulier, mais la plupart du temps c'est le rythme de la phrase qui dicte ce choix. Les rythmes s'acquièrent surtout au contact fréquent d'Espagnols.

3 Exemples de différentes structures de phrases

a) *Sujet – verbe*

mi hermano está estudiando francés
mon frère étudie le français

el coche, ¿está en el garaje?
est-ce que la voiture est dans le garage ?

Le deuxième exemple relève de la langue parlée ; la structure sujet – verbe n'est pas la structure normale des questions simples (voir ci-dessous).

b) *Verbe – sujet*

Cette structure est plus fréquente lorsque le verbe est intransitif, à plus forte raison lorsqu'il y a une longue énumération (voir dernier exemple). C'est également la structure normale de l'interrogation simple.

llegaron dos tíos y se pusieron a trabajar
deux types sont arrivés et se sont mis au travail

me lo dijo una vez mi padre
mon père me l'a dit un jour

¿se han ido ya tus amigos?
est-ce que tes amis sont déjà partis ?

se me cayeron los libros, los cuadernos y los lápices
j'ai fait tomber mes livres, mes cahiers et mes crayons

c) *Complément d'objet direct – verbe – sujet*

¿este cuadro lo pintaste tú?
c'est toi qui as peint ce tableau ?

la moto la compramos Juan y yo
c'est Juan et moi qui avons acheté la moto

Remarquez que lorsque le complément d'objet direct se trouve placé devant le verbe (este cuadro, la moto), le pronom complément d'objet direct (lo/la) correspondant doit aussi se trouver placé devant le verbe.

d) *L'emploi de la première place dans la phrase pour mettre un élément en valeur*

a mí no me gusta nada
moi je n'aime pas du tout ça

¿ahora quieres comer?
tu veux manger maintenant ?

siempre dice tonterías
il dit toujours des bêtises

así es la vida
c'est la vie

ya me parecía a mí que era ella
il me semblait bien que c'était elle

4 La ponctuation

Souvenez-vous qu'on met un point d'interrogation à l'envers au début d'une interrogation et un point d'exclamation à l'envers au début d'une exclamation (et non pas nécessairement au début de la phrase) :

¿qué quieres tomar?
qu'est-ce que tu prends ?

y éste, ¿cuánto cuesta?
et celui-ci, combien coûte-t-il ?

estuviste anoche en la discoteca, ¿verdad?
tu étais à la discothèque hier soir, non ?

el público gritó "¡olé!"
le public a crié "olé !"

18 L'ACCENTUATION

En espagnol, les accents écrits indiquent surtout une accentuation à l'oral. Si vous savez comment un mot se prononce, vous pouvez savoir, en appliquant quelques règles simples, si ce mot prend un accent écrit, et si oui, où l'accent doit être placé.

1 Les syllabes

Afin de savoir où et quand mettre un accent écrit, il importe de comprendre ce que l'on entend par le mot "syllabe". Une syllabe est un groupe de lettres au sein d'un mot, dont une au moins doit être une voyelle. S'il n'y a pas de voyelle, il n'y a pas de syllabe. Dans de nombreux cas, le nombre de syllabes dans un mot est égal au nombre de voyelles.

ca-sa (deux syllabes)   con-cen-tra-da (quatre syllabes)

S'il y a une consonne ou plus entre chaque voyelle, comme dans les exemples ci-dessus, la division en syllabes est assez simple. Cependant, la situation est légèrement plus complexe si deux voyelles ou plus se suivent.

En espagnol, on distingue les voyelles fortes et les voyelles faibles :

les voyelles **fortes** sont : a, e et o

les voyelles **faibles** sont : i et u

Les règles qui permettent de déterminer si une suite de deux voyelles ou plus forment une ou plusieurs syllabes sont les suivantes :

a) Lorsque deux voyelles fortes se suivent, elles appartiennent à deux syllabes distinctes :

pa-se-ar (trois syllabes)   pe-or (deux syllabes)

b) Lorsqu'une voyelle forte et une voyelle faible se suivent et qu'il n'y a pas d'accent écrit sur la voyelle faible, elles constituent une diphtongue et une syllabe unique ; c'est la voyelle forte qui est accentuée :

fuer-te (deux syllabes)   an-cia-no (trois syllabes)
vie-jo (deux syllabes)

Si l'une des voyelles faibles prend un accent écrit, elle fait partie d'une syllabe distincte :

ha-cí-a (trois syllabes)   pú-a (deux syllabes)

c) Lorsque deux voyelles faibles ou plus se suivent, elles ne constituent qu'une seule syllabe et la seconde voyelle est accentuée :

viu-da (deux syllabes)   fui (une syllabe)

d) Les triphtongues ne constituent qu'une seule syllabe et l'accent tonique tombe sur la voyelle médiane :

U-ru-guay (trois syllabes)   buey (une syllabe)

Ces règles s'appliquent uniquement à la **prononciation** et ne sont en rien modifiées par l'orthographe du mot. Par exemple, le o et le i de prohibir font partie de la même syllabe, malgré la présence d'un h écrit, mais totalement muet, entre eux. Le e et le u de rehusar font partie de la même syllabe, et ce pour la même raison.

2 L'accentuation orale

Tous les mots en espagnol ont une voyelle tonique principale. C'est la place de cette voyelle tonique dans le mot qui permet de déterminer s'il y a ou non un accent écrit. Les règles concernant l'accentuation orale sont les suivantes :

a) L'accent tombe naturellement sur l'avant-dernière syllabe du mot quand :

● le mot se termine par une voyelle :
   lla-mo, re-ba-ño, ve-o, va-rio, re-ci-bie-ra

● le mot se termine par -n ou par -s :
   can-tan, li-bros, jo-ven

b) L'accent tombe naturellement sur la dernière syllabe lorsque le mot se termine par une consonne autre que -n ou -s :

can-tar, ciu-dad, no-mi-nal

3 Emploi principal de l'accent écrit

On emploie principalement l'accent écrit en espagnol pour indiquer des exceptions aux règles d'accentuation orale données ci-dessus. La prononciation de la voyelle sur laquelle est placé l'accent ne change pas.

Si l'accent tonique tombe là où la règle l'indique, il n'y a pas d'accent écrit. Sinon, un accent écrit est placé sur la voyelle qui est accentuée.

Les règles générales sont donc les suivantes :

- si un mot se terminant par une voyelle, par -n ou par -s n'est pas accentué à l'oral sur l'avant-dernière syllabe, un accent écrit est placé sur la voyelle effectivement accentuée à l'oral :

menú, región, inglés

- si un mot se terminant par une consonne autre que -n ou -s n'est pas accentué sur la dernière syllabe à l'oral, un accent écrit est placé sur la voyelle effectivement accentuée :

césped, fácil

De façon plus spécifique, on peut constater que :

- tout mot où l'accent tonique tombe sur l'antépénultième (syllabe précédant l'avant-dernière) ou sur la syllabe qui précède comporte un accent écrit sur la voyelle correspondante quelle que soit sa terminaison :

música, régimen, enséñaselo

- tout mot se terminant par une voyelle accentuée à l'oral prend un accent sur cette voyelle :

café, rubí

Dans toute combinaison d'une voyelle faible et d'une voyelle forte dans laquelle la voyelle faible est accentuée, celle-ci prend un accent écrit :

quería, vacío

Autres exemples :

accent à sa place naturelle (pas d'accent écrit)		accent déplacé (accent écrit)	
varias	*plusieurs*	varías	*tu varies*
continuo	*continu*	continúo	*je continue*
amar	*aimer*	ámbar	*ambre*
fabrica	*il fabrique*	fábrica	*usine*

Remarque :

Encore une fois, souvenez-vous que c'est la prononciation qui compte et non l'orthographe. L'accent écrit dans prohíbo ou rehúso s'explique par le fait que la voyelle faible dans les syllabes prononcées oi et eu est accentuée, et non pas par la présence du h entre les deux voyelles.

Notez aussi qu'il faut parfois omettre l'accent écrit au pluriel ou bien en ajouter un, selon les cas :

región → regiones
joven → jóvenes

Dans ces quatre mots, l'accent tonique tombe sur le o.

Deux exceptions dans lesquelles l'accent se déplace au pluriel :

carácter → caracteres
régimen → regímenes

4 Emplois secondaires de l'accent écrit

Les autres emplois de l'accent écrit sont les suivants :

- pour différencier deux mots ayant la même orthographe :

el (*le*)		él (*il*)	
tu (*ton*)		tú (*toi*)	
mi (*mon*)		mí (*moi*)	
si (*si*)		sí (*oui*)	
de (*de*)		dé (*donne*)	
aun (*encore, sens temporel*)		aún (*encore + adverbe, sens intensif*)	

- pour indiquer les formes interrogatives et exclamatives de certains pronoms et adverbes :

donde (*où*)	¿dónde? (*où ?*)
quien (*qui*)	¿quién? (*qui ?*)

- pour différencier les formes pronominales des formes adjectivales des démonstratifs (les pronoms prennent un accent) :

este (*ce/cet... -ci*)	éste (*celui-ci*)
aquella (*cette... -là*)	aquélla (*celle-là*)

Les pronoms neutres ne pouvant être confondus avec aucune autre forme, ils ne prennent pas d'accent : esto, eso, aquello.

5 Le tréma

Seule la lettre u prend le tréma en espagnol (ü). Il n'y a de tréma que dans le cas des combinaisons g-u-e et g-u-i. Le u doit alors être prononcé comme une voyelle distincte. S'il n'y a pas de tréma, on ne prononce pas le u.

la cigüeña	*la cigogne*
la vergüenza	*la honte*
la lingüística	*la linguistique*
el piragüismo	*le canoë*

Comparez les mots précédents avec des mots comme la guerra, la guirnalda et des mots similaires dans lesquels le u n'est pas prononcé.

Notez qu'un tréma doit parfois être ajouté ou omis dans certaines formes de certains verbes, afin que l'orthographe reflète correctement la prononciation du verbe :

averiguo (*indicatif : je me renseigne*)
averigüe (*subjonctif*)

avergonzarse (*infinitif : avoir honte*)
me avergüenzo (*indicatif : j'ai honte*)

argüir (*infinitif : se disputer*)
arguyo (*indicatif : je me dispute*)

Le radical du verbe doit toujours conserver la même prononciation. C'est l'orthographe qui doit s'adapter.

19 COMMUNIQUER EN ESPAGNOL

A L'AFFIRMATION, LE DOUTE, LE DÉMENTI

1 Les affirmations

Les affirmations fonctionnent de la même façon en espagnol et en français.

Il existe cependant plusieurs façons typiquement espagnoles de renforcer l'affirmation :

a) Sí que

Cette locution se place devant le verbe pour le renforcer. Sa traduction peut varier selon le contexte :

¡sí que hace calor!
qu'est-ce qu'il fait chaud !

¡esos sí que son unos caraduras!
ils ont un de ces culots, ceux-là !

b) *Le renforcement de* sí

L'adverbe sí peut être renforcé de diverses manières :

no creo que venga – ¡que sí!
je ne crois pas qu'elle va venir – mais si !

¡claro que sí!
bien sûr (que oui) !

¿lo haces si te dejo el coche? – ¡eso sí!
tu le fais si je te laisse la voiture ? – oui (d'accord) !

2 Les verbes comme pensar, creer, suponer, etc., à la forme négative ou les verbes exprimant le doute ou le démenti à l'affirmative

Si un verbe comme pensar, creer, suponer, etc., est employé à la forme négative ou si on emploie à la forme affirmative un verbe exprimant le doute ou le démenti, le verbe de la proposition subordonnée est au **subjonctif** :

no creo que sea justo decir eso
*je ne crois pas qu'il soit juste
de dire ça*

dudo que consiga hacerlo
je doute qu'il y parvienne

niego absolutamente que sea así
je nie absolument que cela soit le cas

Il est important de faire la distinction entre les déclarations d'opinion et le discours indirect. Dans le discours indirect, l'indicatif est toujours employé, que le verbe qui introduit la proposition soit à la forme affirmative ou négative :

yo no digo que el gobierno tenga razón *(subjonctif)*
je ne dis pas que le gouvernement a raison

yo no dije que Juan había llegado *(indicatif)*
je n'ai pas dit que Juan était arrivé

La première de ces deux phrases constitue l'expression d'une opinion. La seconde relate des événements qui ont eu lieu (ou n'ont pas eu lieu) dans le passé.

3 **Les verbes exprimant le doute ou le démenti à la forme négative**

Si un verbe exprimant le doute ou le démenti est employé à la forme négative, on peut le faire suivre soit du subjonctif, soit de l'indicatif. On emploie l'indicatif si le locuteur est particulièrement certain de ce qui est dit :

no dudo que tengas/tienes razón

L'emploi de tengas sous-entend à peu près "je ne doute pas que tu aies raison", tandis que l'emploi de tienes signifie "je suis sûr que tu as raison". Comparez aussi :

no niego que sea posible hacerlo
je ne nie pas qu'il soit (éventuellement) possible de le faire

no niego que es posible hacerlo
je ne nie pas qu'il soit possible de le faire (= il est possible de le faire et je ne le nie pas)

B LES CONDITIONS

En espagnol, les conditions peuvent être classées en deux grandes catégories, chacune d'elles nécessitant un emploi différent du verbe :

TYPE	DÉFINITION	VERBE
conditions "aléatoires"	celles qui peuvent être ou ne pas être réalisées, celles dont l'issue n'a pas encore été décidée	indicatif
conditions non réalisées	celles qui sont présentées comme n'étant pas réalisées, celles que le locuteur pense ne pas être vraies ou n'avoir pas été réalisées	subjonctif

Vous devez savoir avec certitude à quel type de condition vous avez affaire, puisque les règles concernant l'expression des différents types de conditions sont très différentes les unes des autres.

Si la condition est considérée comme étant aléatoire dans la mesure où elle pourrait être ou ne pas être réalisée, on emploie l'**indicatif** (à une exception près : voir les conditions aléatoires dans le futur page 228) :

si **llueve** mañana, iré al cine
s'il pleut demain, j'irai au cinéma

Si la condition est considérée comme étant bel et bien irréelle, dans la mesure où elle n'a pas été réalisée ou ne peut pas être réalisée, on emploie le **subjonctif** dans la proposition commençant par si :

si **fuera** rico, no trabajaría
si j'étais riche, je ne travaillerais pas

Notez que les temps employés en espagnol sont, dans tous les cas, identiques au français, les différences entre les deux langues étant liées aux emplois du mode (indicatif et subjonctif)

1 Les conditions aléatoires

Les conditions aléatoires en espagnol peuvent faire référence au présent, au futur ou au passé. Elles sont exprimées de la manière suivante :

a) *Dans le présent*

Les conditions aléatoires dans le présent sont exprimées en espagnol par le **présent de l'indicatif**. Le verbe de la principale est généralement au présent de l'indicatif ou quelquefois à l'impératif :

si quieres evitar más problemas, cállate
si tu ne veux pas avoir d'autres problèmes, tais-toi

si no te gusta éste, puedes tomar otro
si celui-ci ne te plaît pas, tu peux en prendre un autre

b) *Dans le futur*

Les conditions liées au futur sont par définition aléatoires, leur issue n'étant pas connue au moment où l'on parle. Les conditions futures sont exprimées en espagnol par le **présent de l'indicatif**. Le verbe de la principale est en général au futur (qu'il exprime ou non un engagement personnel de la part du locuteur ; voir page 146).

si vuelves borracho, te mato
si tu rentres ivre, je te tue

si no lo termino a tiempo, no podré salir
si je ne le finis pas à temps, je ne pourrai pas sortir

si hace bueno mañana, iremos a la playa
s'il fait beau demain, nous irons à la plage

Remarque :

Cependant, une condition aléatoire dans le futur peut être rendue à l'**imparfait du subjonctif** si le locuteur souhaite ajouter une nuance d'improbabilité. On emploie alors le conditionnel dans la principale :

si hicieras eso, los otros se enfadarían
si tu faisais cela, les autres seraient contrariés

Il s'agit là d'une hypothèse plus improbable que :

si haces eso, los otros se enfadarán
si tu fais cela, les autres seront contrariés

mais elles se situent toutes deux dans le futur.

En espagnol de tous les jours, on emploie fréquemment como + présent du subjonctif pour exprimer une condition dans le futur. On emploie toujours le subjonctif dans cette construction bien que la condition soit aléatoire :

como llegues tarde me enfado
si tu arrives en retard je serai fâchée

On n'emploie pas como et si indifféremment dans tous les cas. Dans le doute, il est toujours plus prudent d'employer si.

c) *Dans le passé*

Dans le cas de conditions aléatoires faisant référence au passé, on met le verbe au même temps qu'en français :

si no **ha hecho** sus deberes, no podrá salir
s'il n'a pas fait ses devoirs, il ne pourra pas sortir

Il pourrait en fait les avoir faits. Vous exprimez cette condition précisément parce que vous n'en êtes pas sûr. La condition peut en fait avoir été réalisée.

si lo **utilizó**, sabrá cómo funciona
s'il s'en est servi, il saura comment cela marche

Vous ne pouvez pas dire avec certitude s'il s'en est servi ou non.

si no **llovía**, ¿por qué estás mojado?
s'il ne pleuvait pas, pourquoi es-tu mouillé ?

2 Les conditions non réalisées

Les conditions non réalisées ne sont, par définition, liées qu'au présent et au passé.

a) *Le présent*

Les conditions non réalisées liées au présent sont exprimées en espagnol par l'**imparfait du subjonctif**. On peut utiliser l'une ou l'autre forme de l'imparfait du subjonctif. Le verbe de la principale est généralement, mais pas toujours, au conditionnel :

si Juan **estuviera** aquí, hablaría con él
si Juan était là, je lui parlerais

C'est-à-dire "s'il était là maintenant". Vous ne diriez pas cela à moins de penser qu'il n'est pas là. Le fait qu'il se pourrait qu'il soit là n'a aucune importance ici. Selon vous, il s'agit d'une condition non réalisée.

si **tuviera** dinero, iría a España
si j'avais de l'argent, j'irais en Espagne

si **fuera** más barato, lo compraríamos
si c'était moins cher, nous l'achèterions

Là encore, vous ne dites cela que parce que vous ne pensez pas avoir assez d'argent.

b) *Le passé achevé*

Les conditions non réalisées liées au passé achevé sont exprimées en espagnol par le **plus-que-parfait du subjonctif** (soit la forme **hubiera**, soit la forme **hubiese**). Elles sont non réalisées dans la mesure où les événements en question n'ont pas eu lieu. Le verbe de la principale est généralement au passé composé du conditionnel ou, moins couramment, au plus-que-parfait du subjonctif (forme **hubiera**) :

si lo **hubiéramos sabido**, habríamos (*ou* hubiéramos) venido
si nous l'avions su, nous serions venus

Nous ne savions pas, donc nous ne sommes pas venus.

si **hubieras llegado** a tiempo, lo habrías (*ou* hubieras) visto
si tu étais arrivée à temps, tu l'aurais vu

3 De + infinitif

Dans la langue écrite d'un niveau soutenu on exprime parfois une condition en employant **de** suivi de l'infinitif :

de continuar así, suspenderá el examen
s'il continue comme ça, il va rater son examen

Pour le passé, on emploie l'infinitif passé composé :

de haberlo sabido, no habría venido
si j'avais su, je ne serais pas venu

4 Les conditions négatives

Toute condition peut être mise à la forme négative en plaçant simplement **no** devant le verbe de la subordonnée qui exprime la condition, ou bien en employant une autre négation :

si no haces tus deberes, no podrás salir
si tu ne fais pas tes devoirs, tu ne pourras pas sortir

Les conditions négatives peuvent aussi être exprimées par a
menos que ou, dans un langage plus soutenu, par a no ser que.
Ces deux locutions signifient "à moins que" et sont toujours
suivies du temps qui convient au mode subjonctif :

saldremos mañana a menos que/a no ser que llueva
nous sortirons demain à moins qu'il ne pleuve

5 Les conditions introduites par des locutions conjonctives

Le verbe des subordonnées conditionnelles introduites par une
locution conjonctive est toujours au **subjonctif**. Les locutions les
plus courantes sont les suivantes :

en caso de que	*au cas où, si*
a condición de que	*à condition que*
con tal que	*pourvu que, à condition que*
siempre que	*du moment que, pourvu que*

en caso de que venga, se lo diré
s'il vient, je le lui dirai

puedes salir con tal que prometas volver antes de medianoche
*tu peux sortir pourvu que tu promettes d'être de retour à minuit au
plus tard*

los compraremos a condición de que sean baratos
nous les achèterons à condition qu'ils soient bon marché

6 Remarques

Si si signifie "lorsque", "chaque fois que", il introduit alors une
proposition temporelle et seul l'**indicatif** est employé :

si tenía mucho que hacer, nunca salía antes de las nueve
si j'avais beaucoup à faire, je ne sortais jamais avant neuf heures

Si si a le sens de "si... ou non", il introduit une interrogation
indirecte et, là encore, on emploie l'**indicatif** :

me preguntó si lo haría
elle m'a demandé si je le ferais (ou non)

no sé si vendrá
je ne sais pas s'il viendra (ou non)

C LES DEMANDES ET LES ORDRES

1 Les demandes formulées directement

a) *En espagnol courant*

Les Espagnols sont relativement directs dans leur manière de formuler des demandes :

¿me pasas esa revista?   ¿me prestas diez euros?
tu me passes ce magazine ?   *tu me prêtes dix euros ?*

On peut asssi formuler une demande de façon moins directe en employant poder à la forme qui convient + **infinitif** :

¿puedes abrir la ventana?
est-ce que tu peux ouvrir la fenêtre ?

¿podría decirme qué hora es?
est-ce que vous pourriez me donner l'heure ?

L'emploi de l'expression hacer el favor de + infinitif est aussi possible pour marquer une plus grande politesse :

¿me hace el favor de cerrar la ventana?
est-ce que vous pourriez fermer la fenêtre, s'il vous plaît ?

b) *Les demandes polies*

On peut présenter une demande en employant un niveau de langue beaucoup plus soutenu, en particulier à l'écrit. Les expressions les plus courantes dans cette catégorie sont tenga(n) la bondad de + **infinitif** et le(s) ruego que + **subjonctif** :

tenga la bondad de cerrar la puerta
ayez la gentillesse de fermer la porte

Dans le langage très soutenu que l'on emploie en espagnol pour rédiger des lettres d'affaires, le que est parfois omis après le(s) ruego. N'employez pas cette tournure dans d'autre contexte que celui de la correspondance commerciale :

les rogamos nos manden dos cajas
veuillez nous envoyer deux boîtes

c) *Les demandes extrêmement polies*

Dans un niveau de langue très soutenu en espagnol, on rencontre encore parfois la forme de l'impératif sírvase (d'un emploi rare par ailleurs). Lorsque l'on s'adresse à plus d'une personne, on emploie la forme *sírvanse*. Cette construction est réservée à la correspondance commerciale et à la signalisation officielle :

sírvanse mandarnos más información
veuillez nous faire parvenir de plus amples informations

2 Les demandes indirectes

Étant donné qu'une demande indirecte fait toujours intervenir au moins deux sujets, le verbe est toujours suivi d'une proposition subordonnée dont le verbe est au **subjonctif**.

Le verbe le plus fréquemment employé pour introduire une demande indirecte est *pedir*. Dans un niveau de langue plus soutenu, *rogar* est encore parfois employé de préférence à *pedir* :

le pedí que se callara
je lui ai demandé de se taire

nos rogaron que les ayudáramos
ils nous ont demandé de les aider

Remarque :

Il est primordial de ne pas confondre *pedir* et *preguntar*. *Preguntar* signifie "poser une question" et sert à introduire une question indirecte, sans faire intervenir l'idée de demande.

On peut exprimer une demande pressante à l'aide de verbes comme *suplicar* :

me suplicó que no revelara su secreto
il m'a supplié de ne pas révéler son secret

3 Les ordres à la forme indirecte

Pour les ordres directs (l'impératif), voir pages 114-15, 158-9.

Un ordre indirect fait toujours intervenir au moins deux sujets, ce qui entraîne normalement l'emploi d'une proposition subordonnée dont le verbe est au **subjonctif** :

me dijo que lo hiciera inmediatamente
il m'a dit de le faire immédiatement

insistimos en que nos lo devuelvan ahora mismo
nous insistons pour que vous nous le rendiez immédiatement

Cependant, les verbes mandar et ordenar appartiennent à un petit groupe de verbes pouvant être directement suivis de l'infinitif (voir page 138) :

me mandó salir del edificio
il m'a ordonné de quitter le bâtiment

D LES INTENTIONS ET LES OBJECTIFS

1 Pour déclarer une intention

Pour déclarer simplement une intention, on emploie le verbe pensar ou l'expression tener la intención de, l'un et l'autre suivis de l'infinitif. À l'oral, on emploie aussi souvent la construction tener pensado + infinitif :

pensamos ir en coche/tenemos la intención de ir en coche
nous pensons y aller en voiture

tengo pensado salir esta noche
j'ai l'intention de sortir ce soir

2 L'expression des objectifs

a) *Les phrases à un seul sujet*

Si la phrase fait intervenir une seule personne, les objectifs sont généralement exprimés par la préposition para suivie de l'infinitif. Dans un langage plus soutenu, on emploiera a fin de, con el fin de, con la intención de, con el objetivo de ou con la finalidad de, toutes ces expressions devant être suivies de l'infinitif :

lo hice para ganar un poco de dinero
j'ai fait cela pour gagner un peu d'argent

me dirijo a Vds. con el objetivo de pedir información
je vous écris afin de vous demander des renseignements

Après les verbes de mouvement, l'intention est généralement exprimée par la préposition a suivie de l'infinitif, bien qu'on puisse aussi employer para :

vine aquí a hablar contigo
je suis venue ici pour te parler

D'autres verbes sont suivis de différentes prépositions (voir pages 139-41) :

luchaban por mejorar sus condiciones de vida
ils luttaient pour l'amélioration de leurs conditions de vie

b) *Les phrases à deux sujets différents ou plus*

Si la phrase fait intervenir plus d'un sujet, on doit employer **para que** suivi du **subjonctif** :

los ayudamos para que pudieran acabarlo pronto
nous les avons aidés pour qu'ils puissent terminer plus tôt

Les autres conjonctions données précédemment (a fin de, etc.) peuvent aussi être employées. Elles sont alors suivies de **que** et du subjonctif :

me voy, a fin de que puedan empezar inmediatamente
je m'en vais afin qu'ils puissent commencer immédiatement

E "MALGRÉ", "EN DÉPIT DE", "BIEN QUE" ET AUTRES NOTIONS SIMILAIRES

1 "Malgré", "en dépit de"

La façon la plus simple d'indiquer que l'on fait peu de cas d'une difficulté ou d'un obstacle consiste à employer la préposition composée **a pesar de** suivie du nom. À l'écrit, on emploie quelquefois **pese a** au lieu de **a pesar de** :

decidió continuar a pesar de las dificultades
il a décidé de continuer en dépit des difficultés

2 "Bien que", "même si"

On exprime la notion de "bien que" soit par **aunque** soit par **a pesar de que**. À l'écrit **si bien** est assez couramment employé à la place de **aunque**.

Aunque peut être suivi de l'indicatif ou du subjonctif selon la manière dont le locuteur perçoit la difficulté. L'**indicatif** suggère une difficulté réelle (= *bien que*) tandis que le **subjonctif** implique une difficulté potentielle (= *même si*) :

no se ha puesto el abrigo aunque hace mucho frío *(indicatif)*
il n'a pas mis son manteau bien qu'il fasse très froid

continuaremos aunque haya problemas *(subjonctif)*
nous continuerons même s'il y a des problèmes

A pesar de que est surtout employé pour faire référence à une action dans le présent ou le passé et est donc généralement suivi de l'indicatif :

lo hizo a pesar de que nadie estaba de acuerdo con él
il l'a fait bien que personne n'ait été d'accord avec lui

Si bien est toujours suivi de l'indicatif :

se cambiará la ley, si bien hay mucha oposición
la loi sera modifiée bien qu'il y ait beaucoup d'opposition

À l'écrit, on emploie quelquefois la tournure con + infinitif pour exprimer l'idée de "bien que". Ce n'est cependant pas là un usage courant :

con ser pobres, viven bien
bien qu'ils soient pauvres, ils vivent confortablement

3 **"Aussi" + adjectif/adverbe + "que" + verbe au subjonctif**

En espagnol, on exprime cette idée de la façon suivante : por + adjectif/adverbe + que + verbe au subjonctif :

las compraremos, por caras que sean
nous les achèterons, aussi chères qu'elles soient

no dejaré de hacerlo, por difícil que parezca
je ne manquerai pas de le faire, aussi difficile que cela puisse paraître

por bien que lo haga, no lo aceptaré
aussi bien qu'elle le fasse, je ne l'accepterai pas

4 **"Quoi que...", "qui que...", "où que..." etc. + verbe**

Il existe deux manières d'exprimer cette idée en espagnol :

a) Verbe au subjonctif + proposition relative + verbe au subjonctif. Le même verbe se trouve répété dans cette construction :

lo compraremos, cueste lo que cueste
nous l'achèterons, quel que soit son prix

no quiero verle, sea quien sea
je ne veux pas le voir, qui qu'il soit

le encontraremos, esté donde esté
nous le trouverons, où qu'il soit

b) Adjectif ou pronom indéfini + que + verbe au **subjonctif**. On
    forme les adjectifs et pronoms indéfinis en ajoutant -quiera au
    relatif qui correspond (il n'y a pas de forme correspondante pour
    lo que) :

no quiero verle, quienquiera que sea
je ne veux pas le voir, qui qu'il soit

lo encontraremos, dondequiera que esté
nous le trouverons, où qu'il soit

Lorsque l'on met le pronom ou l'adjectif au pluriel, c'est la partie
qui précède -quiera qui est mise au pluriel. Quiera lui-même est
invariable :

no quiero verlos, quienesquiera que sean
je ne veux pas les voir, qui qu'il soient

F LA NÉGATION D'UNE AFFIRMATION PRÉCÉDENTE

1 Pero et sino

On peut exprimer la notion de "mais" avec pero ou sino. On
emploie no... sino pour introduire une affirmation qui s'oppose à
la tournure négative qui la précède. On ne peut pas employer
pero dans ce cas.

Comparez :

el coche es grande pero no cuesta mucho
la voiture est grande mais elle ne coûte pas cher

et :

el coche no es verde, sino rojo
la voiture n'est pas verte mais rouge

mi padre no es médico, sino profesor
mon père n'est pas médecin mais professeur

Si l'opposition est exprimée par une proposition, on emploie sino
que :

no se come, sino que se bebe
ça ne se mange pas, ça se boit

Si l'intention ne consiste pas à marquer l'opposition, mais à ajouter une nuance d'insistance à l'affirmation qui suit, on emploie pero sí :

no conozco España, pero sí conozco Portugal
je ne connais pas l'Espagne, mais je connais le Portugal

no es moderno, pero sí interesante
ce n'est pas moderne, mais c'est intéressant

2 No es que, no porque

Ces deux expressions sont suivies d'un verbe au subjonctif :

no es que no tenga confianza en ti
ce n'est pas que je n'ai pas confiance en toi

lo hace no porque quiera hacerlo, sino porque no tiene más remedio
il le fait, non pas parce qu'il veut le faire, mais parce qu'il n'a pas le choix

G L'OBLIGATION

1 L'obligation d'ordre général

Il existe en espagnol un certain nombre de constructions permettant d'exprimer l'obligation dans un sens très général. Voici les plus courantes :

hay que + infinitif
es preciso + infinitif
es necesario + infinitif

Le degré d'obligation peut être accru comme suit :

es esencial + infinitif (*il est essentiel de...*)
es imprescindible + infinitif (*il est indispensable de...*)

Dans ces expressions, on ne s'adresse à personne en particulier. Elles ne font qu'exprimer une obligation d'ordre général.

hay que tener cuidado   hay que verificarlo
il faut faire attention   *il faut le vérifier*

¿hay que ser miembro para poder jugar aquí?
faut-il être membre pour jouer ici ?

será necesario verificarlo con él
il faudra vérifier cela auprès de lui

2 L'obligation d'ordre personnel

Les obligations d'ordre plus personnel (c'est-à-dire celles touchant des personnes ou des groupes de personnes en particulier) sont exprimées à l'aide du verbe deber + **infinitif** ou du verbe tener + que + **infinitif** :

debemos salir a las ocho en punto
nous devons partir à huit heures précises

tendrás que trabajar mucho
il te faudra travailler dur

tengo que terminarlo cuanto antes
je dois finir cela aussitôt que possible

La notion d'obligation peut être accentuée grâce à l'une des expressions indiquées précédemment au paragraphe 1 (à l'exception de hay que), suivie de que et d'un verbe au **subjonctif** :

es imprescindible que lo hagas ahora mismo
il faut absolument que tu le fasses maintenant

3 L'obligation d'ordre moral

L'obligation d'ordre moral s'exprime en espagnol à l'aide du conditionnel (ou, moins souvent, à l'aide de l'imparfait) du verbe deber, suivi de l'**infinitif** :

deberíamos ir a verlo
nous devrions aller le voir

Il ne s'agit pas là d'une obligation dans le sens où vous êtes forcés d'aller le voir, mais dans le sens où vous pensez que c'est là votre "devoir".

Pour mettre cette notion au passé, utilisez l'infinitif passé après deber au conditionnel :

deberíamos haberlo hecho antes
nous aurions dû le faire plus tôt

no deberías haber bebido tanto
tu n'aurais pas dû boire autant

Remarquez que c'est le verbe à l'infinitif que l'on met au passé en espagnol, et non le verbe deber.

4 **Pour dire que l'on oblige quelqu'un à faire quelque chose**

Cette notion est généralement exprimée par obligar ou forzar + a + infinitif. On peut aussi employer hacer + infinitif :

me obligaron a salir
ils m'ont obligé à partir

me hizo levantarme temprano
il m'a fait me lever tôt

Lorsque le verbe obligar est employé à la voix passive, verse est presque toujours préféré à ser :

me vi obligado a devolverlo
je me suis vu dans l'obligation de le rendre

H LA PERMISSION, L'INTERDICTION

1 **La permission ou l'interdiction en général**

Les formes les plus répandues pour exprimer la permission et l'interdiction sont construites avec le verbe poder :

¿se puede aparcar por aquí?
est-ce qu'on peut se garer par ici ?

¿puedo pasar?
est-ce que je peux entrer ?

no puedes pasar ahora
tu ne peux pas entrer maintenant

Les expressions d'interdiction qui correspondent à se puede sont se prohíbe, está prohibido ou simplement prohibido. On les trouve principalement dans la signalisation officielle :

prohibido/se prohíbe pisar el césped
interdiction de marcher sur la pelouse

On peut employer la tournure emphatique suivante :

queda terminantemente prohibido cruzar la vía
interdiction formelle de traverser la voie

2 **La permission et l'interdiction appliquées à une personne en particulier**

Les verbes les plus couramment employés pour exprimer la permission et l'interdiction sont de ceux qui peuvent être suivis d'un infinitif ayant un sujet différent (voir page 138). Ceci évite en général l'emploi d'une proposition subordonnée :

me dejaron entrar pero me impidieron verle
ils m'ont laissé entrer mais ils m'ont empêché de le voir

nos prohibieron fumar
ils nous ont interdit de fumer

Notez la phrase suivante, d'un usage très courant :

¿me permite?
je peux ?/vous permettez ?

Dans de nombreux cas, on peut employer un simple impératif négatif :

no digas tacos
ne dis pas de gros mots

I LA POSSIBILITÉ, L'IMPOSSIBILITÉ

1 Dans un sens personnel

La manière la plus simple d'exprimer la possibilité est d'employer le verbe poder :

no podré venir mañana
je ne pourrai pas venir demain

no habríamos podido hacerlo sin ti
nous n'aurions pas pu le faire sans toi

Les verbes conseguir et lograr sont employés dans le même sens (conseguir est le plus usité) :

no conseguimos llegar a tiempo
nous n'avons pas réussi à arriver à l'heure

logramos evitar un conflicto
nous sommes parvenus à éviter un conflit

Remarquez que conseguir et lograr sont directement suivis du verbe à l'infinitif ; ils ne prennent pas de préposition, contrairement au français où l'on doit employer la préposition "à".

Une autre possibilité consiste à employer l'expression impersonnelle ser (im)posible. La personne pour laquelle l'action est (im)possible devient complément d'objet indirect :

no me será posible venir
je ne pourrai pas venir (il ne me sera pas possible de venir)

nos fue imposible resolver el problema
nous n'avons pas pu résoudre le problème

Resultar est quelquefois employé à la place de ser :

me resultó imposible hacer lo que quería
je n'ai pas pu faire ce qu'elle voulait

Là encore, on n'emploie pas de préposition après (im)posible en espagnol.

2 En général

a) Quizá, quizás, tal vez

La possibilité, dans un sens plus général (c'est-à-dire non pas "pouvoir faire quelque chose" mais la possibilité que quelque chose ait lieu ou non), peut s'exprimer à l'aide des adverbes quizás, quizá ou tal vez. Quizás et quizá sont plus fréquemment employés.

Ils peuvent être suivis de l'indicatif ou du subjonctif, selon la probabilité de la réalisation de l'événement selon vous. L'indicatif exprime un plus grand degré de certitude que le subjonctif :

quizás venga mañana, no sé *(subjonctif)*
il viendra peut-être demain, je ne sais pas

tal vez tienes razón *(indicatif)*
tu as peut-être raison

b) *Les formes verbales*

Poder + **infinitif** peut aussi s'employer pour exprimer une possibilité d'ordre général :

puede haber cambios importantes dentro de poco
d'importants changements pourraient se produire bientôt

On peut aussi traduire cette idée à l'aide des expressions impersonnelles es posible que et puede que suivies de la forme du subjonctif qui convient :

es posible que venga mañana   puede que no sea verdad
il se peut qu'il vienne demain   *cela pourrait ne pas être vrai*

En fait, toute expression impersonnelle traduisant l'idée de possibilité ou d'événement fortuit est suivie du subjonctif :

existe la posibilidad de que surjan problemas
il est possible qu'il y ait des problèmes

Notez l'expression suivante :

parece mentira que esto haya ocurrido
il semble impossible que cela se soit produit

J LA PROBABILITÉ, L'IMPROBABI-LITÉ

L'adverbe probablemente (comme tous les adverbes) n'influe en rien sur le mode (indicatif ou subjonctif) du verbe :

probablemente vendrá mañana
il viendra probablement demain

Cependant, toute expression impersonnelle de probabilité ou d'improbabilité est suivie d'une proposition subordonnée dont le verbe est au subjonctif, comme en français :

es probable que salga por la tarde
je sortirai probablement ce soir (il est probable que je sorte)

es improbable que vuelva
il ne reviendra vraisemblablement pas (il est improbable qu'il revienne)

me parece increíble que consiga hacerlo
il me semble invraisemblable qu'il réussisse à le faire

tenemos que aceptar la probabilidad de que esto ocurra
il nous faut accepter le fait que cela se produira probablement

K LE REMERCIEMENT

1 Quelques tournures simples pour exprimer le remerciement

a) Gracias *et les termes équivalents*

La tournure la plus simple servant à exprimer le remerciement est bien sûr gracias. Étant donné que le fait de remercier quelqu'un fait toujours intervenir une notion d'échange (vous remerciez quelqu'un pour ce qu'il ou elle vous a donné ou pour ce qu'il ou elle a fait pour vous), la préposition employée avec gracias est toujours por (voir pages 193-4) :

muchas gracias por el regalo
merci beaucoup pour le cadeau

me dio las gracias por el regalo
il m'a remercié pour le cadeau

Un verbe employé après gracias peut être a l'infinitif simple ou à l'infinitif passé :

gracias por ayudarme / haberme ayudado
merci de m'avoir aidé

De même, tout nom ou adjectif exprimant le remerciement ou la gratitude est suivi de por :

queremos expresar nuestro reconocimiento por todo
nous souhaitons vous exprimer notre gratitude pour tout (ce que vous avez fait)

b) Agradecer

Dans un langage plus soutenu, gracias est presque toujours remplacé par le verbe agradecer à la forme qui convient.

Agradecer n'est suivi d'aucune préposition en espagnol :

les agradecemos su cooperación en este asunto
nous vous remercions de votre coopération dans cette affaire

nos agradecieron nuestra ayuda
ils nous ont remerciés pour notre aide

2 Les propositions subordonnées

Le verbe d'une proposition subordonnée placée après une expression de gratitude se met au **subjonctif**. Voici les deux tournures les plus courantes :

agradeceremos mucho que nos ayuden
agradeceríamos mucho que nos ayudasen

Ces deux expressions sont l'équivalent de "nous vous serions reconnaissants de bien vouloir nous aider". Toutes deux s'emploient en toute occasion, malgré la différence de temps.

Dans le langage soutenu propre à la correspondance commerciale, on peut omettre le que de cette expression. N'employez pas cette tournure dans d'autres contextes :

agradeceremos nos manden diez cajas
nous vous serions reconnaissants de bien vouloir nous envoyer dix boîtes

L LES SENTIMENTS, LES CRAINTES, LES ESPOIRS, LES REGRETS

1 Les sentiments

a) *Les phrases à un seul sujet*

L'expression d'un sentiment, lorsqu'il n'y a qu'un seul sujet, est suivie du verbe à l'**infinitif** :

estamos muy contentos de veros
nous sommes très heureux de vous voir

Il n'y a qu'un sujet : "nous" sommes contents et "nous" vous voyons.

espero poder hablar con él mañana
j'espère pouvoir lui parler demain

b) *Les phrases à plus d'un sujet*

Cependant, s'il y a plus d'un sujet, l'expression d'un sentiment est suivie de **que** + **subjonctif**. Les sentiments vont de l'approbation à la désapprobation, du plaisir à la colère, etc. :

me alegra que pienses así
je suis heureux que tu sois de cet avis

Remarque :

Bien que l'imparfait du subjonctif soit de nos jours inusité en français, ce n'est absolument pas le cas en espagnol et l'imparfait du subjonctif doit être employé lorsque l'on fait référence au passé. Par exemple :

le molestó que no estuviéramos de acuerdo con él
cela l'ennuyait que nous ne soyons pas d'accord avec lui

L'expression d'un sentiment peut être implicite dans une construction impersonnelle :

es triste/lógico/natural/una pena que sea así
il est triste/logique/naturel/dommage qu'il en soit ainsi

Toutes ces expressions dénotent un sentiment (même implicite) de la part du locuteur plutôt qu'une simple constatation.

Remarquez que, comme en français, le verbe n'est au subjonctif que s'il se trouve dans une proposition introduite par que dépendant directement de l'expression du sentiment. Si la proposition est introduite par porque ou si elle dépend d'un autre verbe, on n'emploie pas le subjonctif :

estaba triste porque todos le habían abandonado
il était triste parce que tout le monde l'avait abandonné

se puso furioso al ver que nadie le escuchaba
il est devenu furieux en voyant que personne ne l'écoutait

Dans ce dernier cas, la proposition dépend du verbe ver, et non de l'expression du sentiment.

2 La crainte

a) *"Avoir peur de/craindre quelque chose"*

La manière la plus simple d'exprimer la crainte est d'employer une locution comme tener miedo a, ou, moins couramment, le verbe temer. Remarquez que l'on peut employer la préposition a ou de avec tener miedo :

tengo miedo a/de los perros
j'ai peur des chiens

On peut aussi employer la locution dar miedo :

me dan miedo las arañas
les araignées me font peur

b) *"Avoir peur de/craindre que"* + *verbe*

Les règles indiquées précédemment (page 245) concernant les cas dans lesquels il y a un ou plusieurs sujets sont également valables ici :

me da miedo salir por la noche
j'ai peur de sortir la nuit

temo que surjan problemas imprevistos
je crains que des problèmes imprévus ne se présentent

Remarquez que le verbe après temer n'est pas précédé de no en espagnol.

L'expression "je crains que" est parfois employée en français pour indiquer un fait ou une possibilité, sans vraiment suggérer la peur. Temer peut aussi avoir ce sens en espagnol et est souvent employé à la forme réfléchie dans ce contexte.

Dans ce cas, temerse peut être suivi de l'indicatif ou du subjonctif. L'indicatif est employé pour faire une constatation :

me temo que lo ha perdido
je crains qu'il ne l'ait perdu (il l'a en effet perdu)

Le subjonctif suggère la possibilité que quelque chose se soit produit :

me temo que lo haya perdido
je crains qu'il ne l'ait perdu (il l'a peut-être perdu)

c) *Autres expressions*

D'autres expressions exprimant une crainte réelle sont aussi suivies du subjonctif :

se escondió por miedo a que se burlasen de él
il s'est caché de peur qu'ils (ne) se moquent de lui

3 L'espoir

a) *"Espérer" + nom*

Cette tournure se traduit simplement par esperar + construction directe :

esperábamos una respuesta más positiva
nous espérions une réponse plus positive

b) *"Espérer" + verbe*

Dans ce contexte, "espérer" est là encore généralement exprimé par le verbe esperar. Dans ce sens, esperar peut être suivi de l'indicatif ou du subjonctif (esperar, lorsqu'il signifie "attendre", est toujours suivi du subjonctif).

Lorsqu'il est suivi de l'indicatif, esperar exprime l'enthousiasme. Lorsqu'il est suivi du subjonctif, il exprime un espoir réel.

Comparez :

espero que vendrá *(indicatif)*
j'espère qu'il viendra (= je compte sur sa venue ; je serai déçu/con-trarié s'il ne vient pas)

espero que tenga éxito *(subjonctif)*
j'espère que vous réussirez

Il s'agit bien, dans ce dernier exemple, d'un espoir, et l'idée de "compter sur" n'est pas sous-entendue comme dans le premier exemple.

c) *Les expressions impersonnelles*

Les expressions impersonnelles d'espoir sont suivies du sub-jonctif :

hay pocas esperanzas de que venga
il y a peu de chances qu'il vienne

mi ilusión es que un día se resuelva el problema
mon espoir, c'est qu'un jour le problème soit résolu

d) Ojalá

Dans la langue parlée, ojalá est souvent employé pour introduire une expression d'espoir. Ojalá est invariable et il est toujours suivi du subjonctif :

ojalá no llueva mañana
j'espère qu'il ne pleuvra pas demain

ojalá venga
j'espère qu'il viendra

4 Le regret

a) *Pour s'excuser de quelque chose*

La façon la plus simple de s'excuser consiste à dire perdón, perdona/perdone (impératif) ou lo siento. Ces expressions dif-fèrent dans la mesure où perdón revient à demander pardon, tandis que perdona/perdone et lo siento expriment directement le regret.

Par ailleurs, il existe une différence d'usage entre perdón d'une part et perdona/perdone et lo siento d'autre part : le premier s'utilise seul, par exemple pour s'excuser quand on bouscule

quelqu'un sans le vouloir, tandis que les formes de l'impératif de
perdonar ainsi que lo siento s'utilisent au sein d'une phrase :

¡ay, perdona! no te había visto
oh, pardon ! je ne t'avais pas vu

perdone, pero me tengo que ir
je regrette, mais je dois partir

lo siento, pero no será posible terminarlo hoy
je regrette, mais il ne sera pas possible de le terminer aujourd'hui

Lorsque la chose ou l'action que l'on regrette est indiquée explicitement, on n'emploie pas le lo de lo siento. Sentir se construit alors transitivement :

sentimos la molestia
nous regrettons de vous avoir dérangé

Dans un niveau de langue plus soutenu, on emploie souvent
lamentar de préférence à sentir :

lamentamos la molestia que les hemos causado
nous regrettons les désagréments que nous vous avons occasionnés

b) *"Regretter" + verbe*

S'il n'y a qu'un sujet, on emploie l'infinitif. Autrement, on doit
employer une proposition dont le verbe est au subjonctif, comme
en français :

sentimos tener que molestarle
nous regrettons de devoir vous déranger

sentimos mucho que no hayas podido hacerlo
nous regrettons beaucoup que tu n'aies pas pu le faire

Là encore, la proposition doit dépendre directement du verbe qui
exprime le regret. Si elle dépend d'un autre verbe, on emploiera
alors l'indicatif, comme en français :

lamentamos informarles que ya no están disponibles
nous regrettons de vous informer qu'ils ne sont plus disponibles

Ici la proposition dépend de informar et non de lamentamos.

M LES SOUHAITS, LES DÉSIRS, LES PRÉFÉRENCES

1 Les phrases à un seul sujet

Si la phrase ne fait intervenir qu'un seul sujet, on emploie un simple infinitif :

quiero hablar contigo
je voudrais te parler

preferiría salir ahora
je préférerais sortir maintenant

valdría más empezar en seguida
il vaudrait mieux commencer tout de suite

L'expression d'un souhait peut toujours être "atténuée" en espagnol en employant l'imparfait du subjonctif de **querer** :

quisiéramos comer ahora
nous aimerions manger maintenant

2 Les phrases à plus d'un sujet

Dans ce cas, le verbe exprimant le souhait doit être suivi d'une proposition subordonnée dont le verbe est au **subjonctif**, comme en français :

quiero que lo hagan ellos mismos
je veux qu'ils le fassent eux-mêmes

me gustaría que Vds. empezaran en seguida
je voudrais que vous commenciez maintenant

hubiera preferido que escogiera otra cosa
j'aurais préféré que vous choisissiez autre chose

N LA SUPPOSITION

1 Le futur et le conditionnel

Outre les verbes de supposition habituels (par exemple **suponer**), la manière la plus simple d'exprimer la supposition en espagnol est d'employer le futur pour une supposition formulée dans le présent, et le conditionnel pour une supposition formulée dans le passé. Cette structure se traduit généralement en français par le verbe "devoir" :

supongo que **vendrá**
je suppose qu'il viendra

la casa **estará** por aquí
la maison doit être par ici

¿qué hora es? – **serán** las once
quelle heure est-il ? – il doit être environ onze heures

serían las cinco más o menos cuando llegó
il devait être environ cinq heures lorsqu'il est arrivé

2 Deber de + infinitif

On peut aussi exprimer la supposition à l'aide du verbe **deber** suivi de **de** + infinitif. (À ne pas confondre avec **deber** suivi directement d'un infinitif, qui exprime l'obligation) :

debes de estar cansada después de tanto trabajo
tu dois être fatiguée après avoir tant travaillé